PraxisWissen

Psychiatrische Krisenintervention

Psychiatrie Verlag

MANUEL RUPP, Facharzt für Psychiatrie und Psychotherapie, Systemischer Therapeut und Supervisor, Coach, Leiter von Seminaren im ganzen deutschen Sprachraum zu den Themen »Psychiatrische Krankheitslehre«, »Krisenintervention«, »Suizidprävention«, »Gewaltprävention«, »Umgang mit Systemsprengern«, »Burnout-Prävention« etc., Lehrbeauftragter in der ärztlichen Weiterbildung und an Fachhochschulen.
Kontakt: manuel.rupp@bluewin.ch

PraxisWissen

Manuel Rupp

Psychiatrische Kriseninterventionen

Psychiatrie Verlag

Die Reihe **Praxis**Wissen wird herausgegeben von:
Michaela Amering, Ilse Eichenbrenner, Michael Eink, Caroline Gurtner, Klaus Obert, Wulf Rössler und Tobias Teismann

Manuel Rupp
Psychiatrische Kriseninterventíon
PraxisWissen 2
Neuausgabe 2018
ISBN-Print 978-3-88414-649-1
ISBN-PDF 978-3-88414-943-0
ISBN-ePub 978-3-88414-947-8

Bibliografische Information der Deutschen Nationalbibliothek
Die Deutsche Bibliothek verzeichnet diese Publikation in der Deutschen Nationalbibliografie; detaillierte bibliografische Daten sind im Internet über https://portal.dnb.de abrufbar.

Psychiatrie Verlag GmbH
Ursulaplatz 1
50668 Köln
info@psychiatrie-verlag.de

Lektorat: Uwe Britten, Eisenach
Umschlagkonzeption und -gestaltung: studio goe, Düsseldorf, unter Verwendung eines Fotos von blankstock/123rf.com
Typografiekonzeption und Satz: Iga Bielejec, Nierstein
Druck und Bindung: CPI Druckdienstleistungen GmbH, Erfurt

Mit Sensibilität und Entschlossenheit – die Erstbegegnung mit Menschen in psychischer Not

Spätabends im Wohnzimmer. Der Vater, Michael, Mitarbeiter der städtischen Krisenambulanz und aktuell im Bereitschaftsdienst, hilft seiner Tochter bei den Hausaufgaben. Das Telefon klingelt. Eine Frauenstimme mittleren Alters bittet um Hilfe. Es ist die Mutter eines 18-Jährigen, der sich seit Wochen in seinem Zimmer einschließt, Unverständliches murmelt, sich mitten in der Nacht rasch aus dem Kühlschrank etwas zu essen holt, tagsüber schläft und jeden Kontakt verweigert. Die Anruferin meldet sich aus der Nachbarwohnung ihres Zuhauses, da sie befürchtet, ihr Sohn könnte aggressiv werden, wenn er merkt, was sie unternimmt. Sie macht sich große Sorgen um den Gesundheitszustand ihres einzigen Kindes: »Thomas ist verwirrt und für gutes Zureden unzugänglich. Für uns alle ist das kaum mehr auszuhalten. Mein Mann hat ihn heute Abend konfrontiert. Thomi ist völlig ausgerastet, hat seinen eigenen Papa angegriffen und sein Zimmer verwüstet. Wir haben Angst. Angst um unsern Sohn, den wir so nicht mehr kennen. Wir haben aber auch Angst um uns selbst. Ich kann nachts kein Auge mehr zutun. Mein Mann schläft auf dem Sofa und ist am Ende seiner Kraft. Helfen Sie meinem Sohn, bitte! Und nur ja keine Polizei! Das habe ich meinem Sohn versprochen!« Die Anruferin weint. Sie fühlt sich offensichtlich hin- und hergerissen zwischen der Angst, ihren Sohn »zu verraten«, und großer Sorge um ihn und die Familie.

In dieser nicht ungewöhnlichen Szene lassen sich wesentliche Elemente einer Erstbegegnung zwischen Hilfesuchenden und Hilfeleistenden erkennen. Wenn professionelle Hilfe angefordert wird, sind frühere Problembewältigungsversuche im privaten Umfeld gescheitert. Manchmal schon seit einigen Tagen oder gar Wochen. Es ist deshalb nicht mehr nur der Patient in akuter Not, sondern auch seine Angehörigen sind völlig erschöpft und die bisherigen Betreuer ratlos. Zugleich signalisiert ein Alarm außerhalb der üblichen Sprechzeiten dringenden Handlungsbedarf.

Auf der anderen Seite ist der Mitarbeiter der städtischen Krisenambulanz von einem Moment auf den andern im Telefonkontakt mit einer notleidenden Person, die er nicht kennt und die möglicherweise nicht einmal der »eigentliche« Patient ist, sondern eine Angehörige oder Nachbarin, Kollegin oder Zufallsbekannte. Er muss mit einer konflikthaften Auftragslage rechnen und aufgrund unvollständiger und nicht genau überprüfbarer Informationen möglichst rasch entscheiden und handeln. Deshalb hat Michael seine Familie auf derartige Unterbrechungen des Alltags vorbereitet. Dennoch hat er bei jedem Anruf Herzklopfen, das sich aber legt, sobald er aktiv in Beziehung treten kann.

Was ist der Reihe nach zu tun? Michael beginnt, sich innerlich auf diese neue Situation einzustellen. Seine Tochter ahnt, dass ihr Vater wohl jetzt für Stunden wegmuss. So macht sie nun ihre Hausaufgaben allein. Sie kennt das schon und weiß von früheren Einsätzen, dass ihr Vater sein Material bereitgestellt hat und sich gleich mit seiner Kollegin Maria für den Einsatz absprechen wird. Die Tochter staunt, wie rasch und zugleich ruhig er handelt, voll auf diesen Notfall konzentriert. Das war nicht immer so, und zwar besonders, als er früher noch allein unterwegs war und über weniger praktische Erfahrungen verfügte. Doch jetzt wird er vor dem Einsatz seine Kollegin treffen, um die belastete Familie gemeinsam zuhause aufzusuchen.

Inzwischen entscheiden und handeln sie im Team und können sich gegenseitig unterstützen. Ungeübte Helfer könnten bei der plötzlichen Konfrontation mit einer Notfallsituation selbst in einen Strudel von Hast und Verwirrung geraten. In überstürztem Handeln würden sie die Übersicht verlieren und sich und andere durch unbedachte Aktionen gefährden. Deshalb geht bei einer professionellen Notfall- oder Krisenintervention dem eigentlichen Einsatz eine methodische Vorbereitung voraus. Wie bei medizinischen Notfällen auch, gibt es bewährte Prinzipien der Hilfe.

Im Unterschied zu somatischen, medizinischen Notfällen steht ein Helfer in psychiatrischen Krisen mitten in einem ihm unbekannten, mitbetroffenen Beziehungsnetz. Sein Einsatz wirkt deeskalierend weniger durch Medikamente, sondern durch Kommunikation und entschiedene Moderation des Zusammenwirkens aller Beteiligter. Der psychiatrische Krisenhelfer ist konfrontiert mit heftigen Gefühlen von Angst, Wut, Verzweiflung und Verwirrung bis hin zum Wahn – Ausdruck aller Schattierungen von Ohnmacht. Er begegnet Menschen in einem Moment subjektiver Aussichtslosigkeit oder gar Sinnlosigkeit. Das erfordert ein hohes Maß an Gelassenheit durch ein planvolles Vorgehen.

Die Haltung und die Methoden, die in diesem Buch dargestellt werden, ermöglichen den professionellen Helferinnen und Helfern, ihre Energie und Fachkompetenz konstruktiv und wirkungsvoll einzubringen, ohne sich zu gefährden, die Übersicht zu verlieren oder sich zu erschöpfen. Damit kann die Gefahr, die bei einem psychosozialen Gleichgewichtsverlust droht, abgewendet und die Chance, die in Krisen schlummert, wahrgenommen werden. Durch sofortige und gezielte Entlastung entstehen wieder innere Spielräume, um sich von aussichtslosen Zielsetzungen zu verabschieden. Dies gibt Platz für neue und realistische Perspektiven. Damit werden verschüttete Entwicklungskräfte wieder freigelegt. Diese ersten mutigen Schritte auf neuen Wegen mitzuerleben, das fasziniert Michael. Das fasziniert aber auch uns alle, die wir in diesen Settings arbeiten.

Krisen und Krisenbewältigung verstehen

Krisen als Zeichen von Veränderungsprozessen

Krisen sind ein Zeichen von Lebendigkeit. Dieses Lebendigsein ist herausfordernd, anstrengend, manchmal erschöpfend. Und doch sind die meisten Krisen Folgen ganz normaler Übergänge im Leben und wir überstehen sie gut, wenn auch nicht ohne Mühen. Menschen in Krisen werden erst dann zu einem psychotherapeutischen oder psychiatrischen Problem, wenn außerordentlich schwere Belastungen oder schockierende Erlebnisse, die sich vom Alltäglichen unterscheiden, den Einzelnen und sein Bezugssystem erschüttern. Doch auch solche Krisen werden von vielen in der Regel ohne schwere psychische Folgeschäden überstanden.

Anders sieht es bei Personen aus, die eingeschränkte Kompetenzen und Ressourcen zur Verfügung haben: Menschen mit beeinträchtigter Sozialisation, vorbestehenden psychischen Störungen sowie in sozialer Not, in Armut oder auf der Flucht. Darüber hinaus gibt es eine Grauzone, in der die Betroffenen zwar die Krise gesundheitlich einigermaßen intakt überstehen, jedoch an Lebenszufriedenheit und Wohlbefinden einbüßen. Die professionelle Krisenintervention soll dazu beitragen, dass auch solche Menschen bei außerordentlichen Herausforderungen psychisch keinen Schaden nehmen und sozial nicht absteigen. Insofern ist professionelle Krisenintervention ein Teil unserer auf Ausgleich und Gerechtigkeit bedachten Gesundheitskultur.

Erstaunlich, dass die psychiatrische Krisenintervention außerhalb der Klinik im deutschen Sprachraum erst in den letzten zwei Jahrzehnten aus einem Nischendasein treten konnte. Erstaunlich deshalb, weil eine kompetente Intervention eine erhebliche prognostische Bedeutung hat in Bezug auf die Weiterentwicklung von Gesundheit und sozialer Integration.

Die professionelle Tätigkeit im Rahmen psychiatrischer Kriseninterventionen kann sehr befriedigend sein. Auf kaum einem Gebiet der Psychiatrie und Psychotherapie sind derart rasche psychische Fortschritte möglich wie in diesem Wirkungsbereich. Deshalb ist es auf den ersten Blick schwer nachvollziehbar, dass die außerstationäre Notfall- und Krisenintervention lange Zeit als der »unreine« Fall der Psychotherapie galt. Eine gewisse Scheu, sich mit diesem Gebiet fachlich auseinanderzusetzen, entstand vermutlich auch dadurch, dass es für alle in diesem Bereich Tätigen notwendig ist, den Blickwinkel in Richtung anderer Methoden zu öffnen. Ein weiterer Grund für die Vernachlässigung dieser Disziplin war wohl, dass in der Notfall- und Krisenintervention das geschützte Setting einer regelmäßig getakteten Sprechstunde verlassen werden muss.

Vieles, was uns in der Krisenintervention heute selbstverständlich ist, musste denn auch von Pionieren dieser Disziplin erst erkämpft werden. So hat schon Mitte der Vierzigerjahre E. Erich LINDEMANN entdeckt, dass mit zeitlich befristeten Interventionen sehr wohl ein beträchtlicher Effekt erzielt werden kann. Besonders erforscht wurde bereits früh die Suizidprävention. Im deutschen Sprachraum war Erwin RINGEL ein Pionier, der 1948 ein Suizidverhütungszentrum in Wien gründete. Wichtige Einflüsse kamen in den Siebzigerjahren vom Kriseninterventionsspezialisten Gernot SONNECK (2000), ebenfalls aus Wien. Bis in die Neunzigerjahre war jedoch eine systematisierte Methodik der psychiatrischen Krisenintervention auf die stationäre Psychiatrie beschränkt. Erst nach 1990 wurde im deutschen Sprachraum die Methodik der außerstationären Notfall- und Krisenintervention systematisch dargestellt (siehe RUPP 1996).

In der Zwischenzeit hat eine ganze Reihe von Autorinnen und Autoren nicht nur die psychiatrischen, sondern auch die notfallpsychologischen Aspekte akut traumatisierter Menschen beleuchtet (Lasogga & Gasch 2007). So zeichnen sich immer mehr Grundlinien einer multimethodischen Interventionskunst ab, die sich allgemein zu bewähren beginnt. Methodischer Purismus führt in der Krise zum Scheitern der Hilfe. Die Krisenintervention ist auch schon längst nicht mehr bloß ein Tätigkeitsbereich der Medizin und Psychiatrie. Entsprechend kristallisierte sich eine multidisziplinäre Vorgehensweise heraus, die zunehmend als »Methodik der Notfall- und Krisenintervention« bezeichnet werden kann.

Unterscheidung von »Krise« und »Notfall«

In einer psychischen Krise tritt eine Situation erhöhter Anspannung seelischer und körperlicher Energie auf, um eine ungewohnte Beanspruchung zu bewältigen. Eine Krise kann gemeistert werden, ohne dass das psychische Gleichgewicht verloren geht. Gemäß diesem Begriffsverständnis handelt es sich bei »Krise« um einen Oberbegriff.

Um Eskalationsstufen der bio-psycho-sozialen Beanspruchung zu unterscheiden, werden in diesem Buch die beiden Begriffe »Krise« und »Notfall« trennscharf verwendet. Bei einer »Krise« bestehen demnach noch Kommunikationsfähigkeit und Kooperationsbereitschaft, wenngleich das psychische Gleichgewicht sehr labil ist. Beim »Notfall« ist die Gefährdung bereits derart eskaliert, dass weder von Kommunikationsfähigkeit noch von Kooperationsbereitschaft ausgegangen werden kann: Das psychische Gleichgewicht ist verloren gegangen (siehe Abbildung 1).

ABBILDUNG 1

Gefährdung, Interventionsart, Kommunikationsfähigkeit

Ausmaß der Gefährdung und Belastbarkeit	**Interventionsart und Methoden**	**Kommunikationsfähigkeit**
Selbst-/Fremdgefährdung Verlust des psychischen Gleichgewichts	Notfallintervention Direktive Intervention, evtl. Zwang	Nicht kommunikationsfähig Unberechenbar, unzuverlässig, nicht kooperativ
Psychisches Gleichgewicht gefährdet Vermindert belastbar	Krisenintervention Beratung in flexiblem Setting	Kommunikationsfähig Bereit und fähig zur Übernahme von Verantwortung
Belastbar	Psychotherapie Reguläres Setting	Kommunikationsfähig

»KRISE« Bei der Krise nach der hier verwendeten Definition sind die Betroffenen in der Lage, Vereinbarungen mit dem Krisenhelfer zu treffen; Vereinbarungen, die mindestens bis zum nächsten Betreuungskontakt verlässlich erscheinen. Somit besteht keine unmittelbare Selbst- oder Fremdgefährdung, jedoch weiterhin ein Risiko, das psychische Gleichgewicht zu verlieren, doch wieder in eine Notfallsituation zu geraten und krank zu werden oder das Umfeld derart zu belasten, dass dort Schaden entstehen kann. Deshalb ist eine rasche Intervention im Rahmen eines Settings notwendig, das auf die Belastbarkeit der Betroffenen und die vorhandenen Ressourcen abgestimmt ist. Die Krisenintervention im Rahmen eines oder mehrerer Kontakte dauert so lange, bis die Krise bewältigt ist. Das ist dann der Fall, wenn die Betroffenen mindestens wieder das psychische Gleichgewicht von vor der Krisenentwicklung erreicht haben.

»NOTFALL« Beim Notfall besteht das ernste Risiko einer akuten Selbst- und / oder Fremdgefährdung. Die Helfenden können bei einem Notfall nicht mehr davon ausgehen, dass die Betroffenen zur Krisenbewältigung fähig sind, notwendige Entscheidungen treffen und diese auch umsetzen können. Hier muss sofort Hilfe geleistet werden, unter bestimmten rechtlichen Voraussetzungen sogar gegen den Willen der Betroffenen. Der Notfall hat höchste Betreuungspriorität. Alle übrigen Aufgaben sind zurückzustellen. Und die Notfallintervention ist erst beendet, wenn keine akute Gefährdung mehr besteht. Die Notfallintervention kann in eine Krisenintervention übergehen, sobald keine akute Selbst- und Fremdgefährdung mehr besteht und die Betreffenden in der Lage und bereit sind, Vereinbarungen mit dem Krisenhelfer einzuhalten.

Wenn in einer Krisen- oder Notfallsituation professionelle Hilfe angefordert wird, muss davon ausgegangen werden, dass die bisherigen Ressourcen im Umfeld des Klienten stark beansprucht oder gar erschöpft sind. Deshalb ist in diesen Situationen anzunehmen, dass nicht nur Einzelne, sondern das gesamte soziale Umfeld Unterstützung brauchen. Bei einer Notfallsituation ist das sogar immer der Fall.

Wie kommt es zur Krise?

Zu psychosozialen Krisen kommt es bei einem Missverhältnis von persönlichen Belastungen versus Ressourcen. Krisen sind gleichwohl »normale« Durchgangsstadien in einer Biografie. Krisenhafte Entwicklungen bedürfen erst dann professioneller Intervention, wenn die Betreffenden die anstehenden Herausforderungen nicht mehr eigenständig oder mit den Mitteln ihres privaten Umfelds bewältigen können.

Anlass für derartige Entwicklungen sind in der Regel außerordentliche äußere Belastungssituationen. Dies können unerwartete Alltagsbelastungen sein (etwa die anhaltende Erkrankung eines Kindes bei berufstätigen Eltern) oder ein erschütterndes oder schreckliches Erlebnis (Traumatisierung durch Unfälle etc.), das die Betroffenen zutiefst schockiert und zu heftigen, überflutenden seelischen Reaktionen führt.

Auch verhältnismäßig geringe Zusatzbelastungen können dann zu einer krisenhaften Entwicklung führen, wenn dies Menschen betrifft, die an sich bereits über eine nur eingeschränkte Belastbarkeit verfügen. Besonders gefährdet sind deshalb Personen mit vorbestehenden, insbesondere psychischen Erkrankungen. Diese Krisen werden »Rückfälle« genannt. Rückfälle gehören bei dieser Klientengruppe zu einem normalen Verlauf einer chronischen gesundheitlichen Problematik. Rückfälle bedeuten demnach nicht automatisch ein Versagen des Klienten oder der Helfer.

Auslöser für Rückfälle sind:

- **Zusätzliche, schicksalhafte äußere Belastungen,** wobei im Unterschied zu gesunden Menschen bereits kleine Sorgen oder auch Veränderungen des üblichen Alltagsablaufs ausreichen, um das psychische Gleichgewicht zu gefährden; oder es sind entwicklungsbedingte Belastungen, zum Beispiel bei Heranwachsenden die Beanspruchung durch die biopsychischen Veränderungen während der Adoleszenz.

  Deshalb ist bei Langzeitklienten die psychosoziale Entlastung besonders wichtig.
- **Primäre Verschlechterung der Krankheit** durch das Fortschreiten eines Krankheitsprozesses (bei einem Hirntumor, einer Alzheimerdemenz, einer schweren hormonellen Störung etc.).

Deshalb ist bei Fehlen einer äußeren Belastung beziehungsweise einer zuverlässigen Medikamenteneinnahme stets ein Arzt beizuziehen, um den Grund dieser Verschlechterung abzuklären.

- **Sekundäre Verschlechterung einer Krankheit** wegen Veränderung der Medikamentenwirkung, Verminderung der Wirksamkeit von Medikamenten durch eine Magen-Darm-Erkrankung oder wegen einer ungünstigen Wechselwirkung mit anderen Medikamenten, Weglassen einer unbedingt notwendigen Medikation bei einem Psychosekranken.
  Deshalb hat die Überwachung der Medikamenteneinnahme bei gefährdeten Klienten eine hohe Priorität.
- **Problemverstärkendes Verhalten eines Klienten,** zum Beispiel Alkoholtrinken eines Suchtkranken oder auch fehlende Krankheitseinsicht bei einem psychotischen Menschen, der sich jeder Mitarbeit verschließt.
  Deshalb ist Motivationsarbeit und Mitverantwortung des Klienten in jeder freiwilligen Betreuung unverzichtbar.

Diese möglichen Auslöser zu kennen ist für alle Betreuerinnen und Betreuer wichtig, denn sie begleiten die Klienten im Alltag und haben so eher die Möglichkeit, frühzeitig gegenzusteuern.

Es können jedoch auch Personen leichter von kritischen Beanspruchungen überfordert werden, wenn sie aufgrund eines Ressourcenmangels über verminderte Problembewältigungsmöglichkeiten verfügen (Menschen in sozialer und finanzieller Not, Migranten).

Krisen können zudem ausgelöst werden durch eine innere Umorientierung, wie dies im Rahmen der Adoleszenz, jedoch auch im Rahmen einer intensiven Psychotherapie geschehen kann.

Meistens sind Beziehungskonflikte oder äußere Belastungen Auslöser von Krisen.

Was geschieht unter einer überfordernden Belastung?

Bei Menschen, die professionelle Hilfe suchen, ist in der Regel – wie im Eingangskapitel dargestellt – bereits vor der Krise eine grenzwertige Belastung eingetreten. Durch ein zusätzliches Ereignis entsteht eine zunehmend ungelöste Problematik, was vorerst zu einer normalen emotionalen Reaktion (Ärger, Wut, Angst, Sorgen etc.) führt. Diese Gefühle signalisieren einen Änderungsbedarf in der aktuellen Lebenssituation.

Es ist jedoch möglich, dass der Betroffene in diesen Gefühlen von Unbehagen keine Belastung als Auslöser und damit keinen Änderungsbedarf erkennt. Das Unbehagen wird auf diese Weise als ein Unbehagen ohne eigentlichen Grund wahrgenommen. Das ist deshalb ein ungünstiger Fall, weil daraus keine aktive Problembewältigung erwächst. Die Krise wird lediglich als gesundheitliche Krise wahrgenommen, die daraufhin angesichts der fehlenden Problemlösung zunimmt.

Im günstigen Fall kann die betroffene Person dem Unwohlsein eine äußere Ursache zuordnen; die auslösende Belastung oder Situationsänderung wird identifiziert. Die betroffene Person bemerkt nicht nur, dass ein Problem entstanden ist, das gelöst werden muss, sondern das Unbehagen veranlasst die Person auch, das Problem zu lösen. Über die Stressreaktion werden zusätzliche psychophysische Kräfte mobilisiert, um die wahrgenommene Problematik zu bewältigen. Falls die betreffende Person über entsprechende Bewältigungskompetenzen verfügt und bereit ist, Prioritäten kurzfristig umzustellen, und falls zudem geeignete Ressourcen zur Verfügung stehen, gelingt in der Regel eine Überwindung der Krise.

ABBILDUNG 2

Problemlösung: ein Weg zu Wohlbefinden und Gesundheit

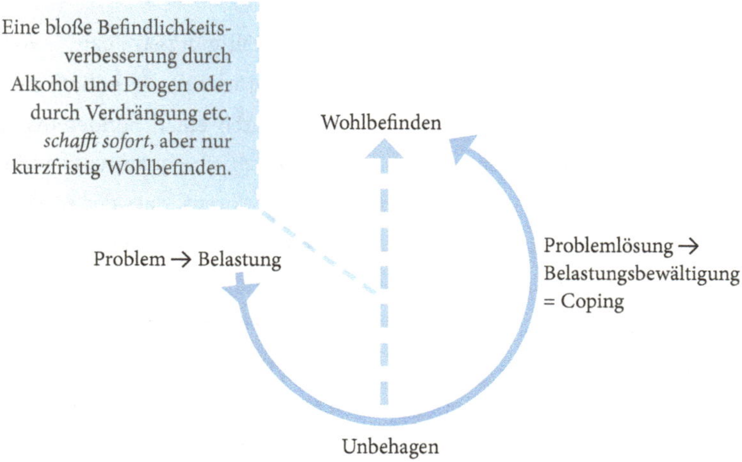

PROBLEMLÖSUNG Dabei gibt es unterschiedliche Bewältigungsstrategien: Die Variante »Problemlösung« setzt direkt bei der erkannten Problematik an und verändert die Methode der Problembewältigung durch eine qualitativ andere Vorgehensweise. Diese Strategie erfordert eine angemessene Situationswahrnehmung, gedankliche Einsicht in Zusammenhänge, soziale Kompetenz sowie Ressourcen im Umfeld. Dies ist die optimale Variante.

BEISPIEL

Einer Angestellten in einer Handelsfirma wird der Aufgabenbereich einer erkrankten Mitarbeiterin übertragen. Sie spürt schnell, dass sie die neue Arbeitsmenge überfordert. Schlafstörungen treten auf. Nach einer kurzen Phase der Verunsicherung darüber, ob sie selbst zu wenig leistungsfähig sei, vereinbart sie einen Termin mit ihrem Vorgesetzten. Sie drückt ihre Sorgen aus. Dies führt zu dem Ergebnis, dass neue Arbeitsprioritäten aufgestellt werden und dass sie einen Teil der Aufgaben an eine neu eingestellte Teilzeitkraft delegieren kann.

ERHÖHTER ENERGIEEINSATZ Die Bewältigungsstrategie »Vorübergehend erhöhter Energieeinsatz« hat zum Ziel, die höhere psychische und körperliche Beanspruchung durch einen Sondereinsatz der Kräfte durchzustehen. Die Krise soll durch eine quantitativ andere Vorgehensweise gelöst werden. Dies setzt voraus, dass der erhöhte Energieeinsatz tatsächlich reicht, um das Problem zu lösen, beziehungsweise die außerordentliche Belastung nur vorübergehender Art ist und eine Erholungsphase angeschlossen werden kann.

BEISPIEL

Das zweijährige Kind eines Paares erkrankt an Dreitagefieber und hat vorübergehend Schlafstörungen; die Eltern stehen abwechselnd in der Nacht auf, das Kind erholt sich rasch, und am Wochenende lassen sich die Eltern abwechselnd ausschlafen. Der vorübergehend erhöhte Energieaufwand kann so kompensiert werden, eine psychische und beziehungsmäßige Destabilisierung wird damit abgewendet.

ENTSPANNUNG Die Strategie »Entspannungstechnik« setzt bei der persönlichen Belastbarkeit an. Es geht dann darum, sich mit speziellen Methoden psychologisch gegenüber einem übermäßig starken Beanspruchungsgefühl abzuschirmen.

BEISPIEL

Ein Student bereitet sich auf die Abschlussprüfung vor; der Termin rückt näher und der Fleißige beginnt vor Lampenfieber schlecht zu schlafen, obschon er sich im Vergleich zu anderen sehr gut vorbereitet hat. Er lernt die Methode des autogenen Trainings und kann damit eine Daueralarmierung seiner Psyche unterbrechen.

ZIELVERÄNDERUNG Eine weitere Möglichkeit ist die Variante »Veränderung von Anspruch und Zielsetzung«, insbesondere wenn neue Belastungssituationen als gegeben zu betrachten sind.

BEISPIEL

Ein Elternpaar, beide Mitte dreißig, Physiotherapeuten in einer orthopädischen Klinik, beabsichtigten bald nach der Geburt ihres zweiten Kindes, ihre Berufstätigkeit in reduziertem Rahmen weiterzuführen. Das Neugeborene hat jedoch eine Fehlbildung der Nieren und muss aufwendig betreut werden. Sie ändern ihre ursprünglichen Pläne: Der Vater verzichtet auf einen Karriereschritt und reduziert sein Pensum zusätzlich. Die Mutter legt eine längere Babypause ein. Wenn sie wieder berufstätig sein wird, wird ihr Mann ein halbes Jahr mit der Arbeit aussetzen. Sie nehmen einen Kredit bei seinen Eltern auf, um den finanziellen Engpass gut zu überstehen. Durch die Verabschiedung von ursprünglichen Zielsetzungen beugen sie einer psychophysischen Erschöpfung und meist in diesem Zusammenhang auftretenden Beziehungsschwierigkeiten vor.

Auch bei der Verarbeitung von Schicksalsschlägen wie Trauer um nahe Angehörige ist ein Abschied von früheren Zielsetzungen, Bedürfnissen etc. notwendig, um sich während einer Phase des Trauerns neu zu orientieren. Dadurch ergeben sich neue Perspektiven und die Gefahr der Entwicklung einer Depression ist gebannt.

Wenn diese Bewältigungsmöglichkeiten nicht zur Verfügung stehen, weil entsprechende Kompetenzen und äußere Ressourcen nicht vorhanden sind beziehungsweise nicht wahrgenommen werden oder eine geringe Belastungstoleranz besteht, dann können unterschiedliche Entwicklungen beobachtet werden. Um ein zunehmendes Unbehagen zu ertragen, entwickeln manche Personen psychologische Notlösungen (Verdrängen, Verleugnen, Verschieben, Somatisieren etc.).

Anstelle des Wohlbefindens durch Problemlösung tritt die Abwesenheit des Unbehagens durch Verschieben der Aufmerksamkeit beziehungsweise durch Vermeidungsverhalten. Nicht das Problem wird bewältigt, sondern das ursprüngliche Unbehagen wird neutralisiert oder durch ein anderes, geringeres Übel ersetzt.

BEISPIEL

Eine Frau aus Kamerun, verheiratet mit einem alkoholabhängigen Mann, der regelmäßig starke Abstürze mit Aggressionsausbrüchen hat, kann sich nicht von ihrem gewalttätigen Mann trennen, da sie sonst die Aufenthaltsbewilligung verlieren würde. Nach einem Sturz aufs Schlüsselbein leidet sie unter chronischen Schulterschmerzen, obschon keine körperlichen Befunde die Intensität und die Dauer der Beschwerden erklären. Die ihr durch die Schmerzen auferlegte Schonhaltung macht es schließlich notwendig, dass sie in einem separaten Zimmer schläft. Über einen Klinikaufenthalt gelingt es ihr, sich schließlich von ihrem Mann zu trennen, der nur noch »offiziell« bei ihr wohnen bleibt.

Durch das Einnehmen einer Patientenrolle kann es zu einer vorübergehenden Beruhigung kommen, ohne dass die Problematik gelöst wird. Anstelle der Problemlösung wird durch eine andere soziale Rolle Schonung bewirkt. Bei erneuter Problematik fängt alles wieder von vorne an oder wird gar schlimmer.

BEISPIEL

Eine Mitarbeiterin wird im Rahmen einer Firmenfusion einem bereits gut eingespielten Team zugeordnet. Sie fühlt sich in ihrer neuen Arbeitsumgebung jedoch nicht willkommen. Sie entwickelt zunehmend Angst, ihr Firmengebäude zu betreten, leidet unter Mutlosigkeit und Schlafstörungen. Ihr Hausarzt schreibt sie zwei Monate krank. Nach einem Wiedereinstieg in die Arbeit wiederholen sich jedoch die Probleme. Die Angstsymptomatik nimmt zu, bis sie während einer nächtlichen Angstattacke den Hausarzt alarmiert.

Falls bei einer ungelösten Problematik weder die Ursache der Krise noch das dabei entstehende Unbehagen angegangen wird, kann die Krise bis hin zu einem Notfall eskalieren. Dies kann als dramatisches Signal Hilfe aus der Umgebung mobilisieren, bevor unwiderruflicher Schaden entstanden ist. Besonders gefährlich sind deshalb Eskalationen der Verzweiflung ohne Signale an die Umwelt, bei welchen die Betroffenen ihre psychische Not verheimlichen. Mangels Krankheitszeichen werden die Angehörigen und Kollegen nicht aufmerksam auf die sich anbahnende suizidale oder gewalttätige Katastrophe.

Krisen geben Anlass, professionelle Hilfe anzufordern. Zum einen dann, wenn die Entwicklung bis hin zu einem Notfall eskaliert ist, zum anderen wenn die Krise anhält und sich Erschöpfungs- oder Krankheitszeichen zeigen. Die länger anhaltende Krise führt zu einer biologischen Daueralarmierung: Schlaflosigkeit, Appetitstörungen, Verspannungsgefühle und vieles mehr.

SCHLAFSTÖRUNGEN Die Schlafstörung ist unter den Krisenfolgen von besonderer Bedeutung. Eine wichtige Möglichkeit der spontanen Erholung wird durch sie beeinträchtigt. Kurzfristig hat verminderter Schlaf die Funktion, zusätzliche emotionale und kognitive Kapazitäten bereitzustellen, um unerwartete Aufgaben bewältigen zu können. Wenn nicht innerhalb weniger Tage eine Lösung gefunden wird, führt dies jedoch zu einer Daueranspannung. Nebst Schlaf- und Essstörungen können psychologische Veränderungen auftreten.

GEDANKENKREISEN So kann der Gedankengang eingeengt werden, die Gedanken beginnen um stets dieselben düsteren Sachverhalte zu kreisen und hilfreiche Perspektiven werden nicht mehr eingenommen. Bei einer anhaltenden Krise findet eine Entdifferenzierung der

Wahrnehmung und des Denkens statt; es entwickelt sich eine Neigung, sich und die Umwelt in einer Art Schwarz-Weiß-Sicht wahrzunehmen. Wichtig bei der Erkundung solcher Situationen durch den Krisenhelfer ist, zu schauen, wieweit es gelingt, die betreffende Person aus gedanklichen Schleifen herauszulocken, um einen Perspektivenwechsel einzuleiten. Ein Wechsel der Sichtweise ist eine Voraussetzung dafür, sich von gescheiterten Lösungsmethoden zu verabschieden und etwas Neues zu wagen.

BEISPIEL

> Eine Frau mittleren Alters, Unternehmerin mit eigenem Geschäft, verliert bei einem Verkehrsunfall ihren Mann. Nach einer längeren Trauerphase fühlt sie sich zunehmend einsam und wünscht sich wieder einen Partner. Sie findet sich allerdings unattraktiv und beginnt sich zu bedauern. An den Wochenenden stürzt sie mit Alkohol ab. Eine Freundin ermuntert sie, sich von der festen Meinung, Einsamkeit sei nun ihr Witwenschicksal, zu verabschieden und zukünftig an ihren freien Tagen etwas zu organisieren, um Freundinnen zu treffen, Ausflüge zu machen, ins Kino zu gehen. Erstaunt stellt sie fest, wie sie diese Tage genießt, dass sie es aber auch schätzt, ab und zu allein zu sein. Nicht lange dauert es noch, bis sie einen Mann kennenlernt, mit dem sie vorsichtig eine Freundschaft beginnt.

KATEGORISCHE BEWERTUNG Die Bewertung des Erlebten folgt bei anhaltender psychischer Belastung häufig strikten Kategorien. Partielle Wahrnehmungen werden verallgemeinert. Einzelbeobachtungen von Ereignissen werden nicht mehr als Teil einer Entwicklung, sondern als unheilvolles Zeichen eines unveränderlichen Zustands gesehen. Typisch für Menschen in fortgeschrittenen Krisen ist zudem, dass sie bei der emotionalen Bewertung der erlebten aktuellen Situationen frühere belastende Erlebnisse beiziehen (»Übertragungen«), sodass erhebliche emotionale Verkennungen stattfinden können. Deshalb braucht es bei der Abklärung durch den Krisenhelfer nicht nur die Erkundung der Gefühlslage, sondern auch die diesen Gefühlslagen zugrundeliegenden Bewertungen von Situationen, Sachverhalten und Beziehungen. Es lässt sich dabei feststellen, dass viele von einer andauernden Krise Betroffene eher das wahrnehmen, was sie pessimistisch erwarten, als das, was sie tatsächlich sehen und hören. Helferinnen und Helfer sind hier gefordert, konsequent in der ressourcen- und lösungsorientierten Perspektive zu bleiben, ohne die Probleme zu bagatellisieren.

Bezogen auf den obigen Fall heißt das: Die Witwe hatte die Überzeugung, dass sie als Hinterbliebene eine traurige Zukunft haben muss und es die Treue zu ihrem verstorbenen Partner erfordert, in der Einsamkeit weiterhin zu leiden. Dies vor dem Hintergrund einer früheren Trennung, als sie es war, die einen Partner verließ, und dieser jahrelang in einer Depression verharrte.

VERÄNDERUNG DER LÖSUNGSSTRATEGIEN Typisch für vorgerückte Krisen ist außerdem, dass die Betreffenden ihre Problemlösungsstrategien kaum mehr verändern, obwohl sie schon lange damit gescheitert sind. Es wird »noch mehr vom Selben« getan, sodass das Scheitern als umso größer erlebt wird. »Nichts hilft mehr!«, heißt es dann beispielsweise. »Ich habe doch immer wieder alles versucht.« Andere Menschen werden unter zunehmender Belastung unentschieden und versuchen aus einem Zustand großer innerer Ratlosigkeit wahllos mal dies, mal jenes – ohne Effekt. > Lösungsstrategien, Seiten 71, 125, 143

Mit der erhöhten Gefühlslabilität bei einer längeren Krise kann auch eine Reduktion der Selbstkontrolle einhergehen. Aggressivität gegen andere, jedoch auch impulsives selbstgefährdendes Verhalten kann die Folge sein. Diese Labilität gilt es zu beachten, wenn mit Personen in akuten Krisen zum Beispiel eine Non-Suizid-Vereinbarung getroffen wird. Umgekehrt können sich diese Menschen blockiert fühlen und auch konstruktive Impulse nicht mehr umsetzen. > Suizidvereinbarungen, Seiten 80, 85

Ein solches Verhalten kann auf der einen Seite bei fortgesetzter Krise überaktiv werden bis hin zu einer allgemeinen Unruhe oder gar chaotischem Verhalten, kann zu Gereiztheit und Aggressivität führen. Auf der anderen Seite kann ein großes Schlafbedürfnis auftreten, die Personen können sich sozial zurückziehen, sich wie ein Kind fühlen und gebärden, sich vernachlässigen oder gar verwahrlosen.

Bei heftigeren Emotionen können dissoziative Zustände auftreten. Die Dissoziation entspricht der Möglichkeit der Psyche, sehr unangenehme, häufig auch überraschend auftretende Gefühle abzuspalten, sich gegenüber diesem Gefühl unempfindlich zu machen. So kann es eintreten, dass ein Notfallseelsorger eine Todesnachricht überbringen muss und dabei erlebt, dass die Betroffenen das Schockierende zuerst gar nicht zu registrieren scheinen, dem Helfer keinen Glauben schenken und ihn mit Tee und Kuchen bewirten, als hätte er keine solche dramatische Mitteilung gemacht.

VERÄNDERUNG DES SOZIALVERHALTENS Auch das Sozialverhalten kann sich unter kritischer Belastung verändern: Durch die Übernahme einer überengagiert verstandenen Helferrolle können zum Beispiel Partnerinnen von Suchtkranken versuchen, das Suchtverhalten des Ehemannes zu kontrollieren (»Koabhängigkeit«). Nach einer Phase zunehmenden Engagements bis hin zum Überengagement schaffen es die Partnerinnen nicht, sich ihre Hilflosigkeit einzugestehen und fremde Hilfe zu holen. Durch ein Mehr von Einsatz und Kontrolle versuchen sie, das System zu stabilisieren, werden jedoch insgeheim zu Komplizinnen der Problematik, indem die hauptbetroffenen Klienten immer weniger Verantwortung übernehmen, sich zugleich jedoch bevormundet fühlen.

Unter kritischer Belastung können funktionale soziale Rollen aufgegeben und neue, problematische Rollen eingenommen werden.

BEISPIEL

Ein 54-Jähriger versucht, seine durch länger dauernde Arbeitslosigkeit gefährdete »Machtstellung« in der Familie mit Gewalt gegenüber seiner Frau durchzusetzen. Der 13-jährige Sohn beginnt, mit einer Sündenbockhaltung die vorhandene Spannung innerhalb der Familie auf sich zu lenken, um eine gefährliche Paarsituation seiner Eltern zu deeskalieren, wodurch er selbst zum Opfer von Aggressionen seines Vaters wird. Bei Hausbesuchen lassen sich diese Rollenveränderungen schnell erkennen. Sie sind Zeichen für eine bereits länger dauernde kritische Situation und im vorliegenden Fall ein Alarmzeichen einer dysfunktionalen Entwicklung.

Die soziale Dynamik verändert sich unter anhaltender Spannung. Es kann Auflösungserscheinungen geben oder die Familie teilt sich in feindselige Koalitionen auf. Diese Spaltungen vermindern die emotionale Spannung innerhalb einer nahen Bezugsgruppe – um den Preis erhöhter Spannung zwischen den einzelnen Gruppen. In krisenbetroffenen Familien lassen sich häufig derartige Umgruppierungen erkennen.

Wenn Kinder oder Jugendliche anhaltend unter einer psychischen Störung leiden, führt dies zu einem stärkeren Engagement meist der Mutter, die sich auf die Besonderheiten ihres Kindes einzustellen versucht. Daraufhin kommt es häufig zu einer Distanzierung des Partners und zu einer Frühablösung von Geschwistern. Sehr eindrücklich kann dies bei Familien mit einem psychosekranken Heranwachsenden beobachtet werden.

Bei Kriseninterventionen treffen Helferinnen und Helfer dann auf ein stark engagiertes Familienmitglied, das sich bereits in einem »Machtkampf mit der Krankheit« befindet. Hilfebemühungen der Helfenden, die von der bisherigen Hilfestrategie der Familienmitglieder abweichen, werden mit Argwohn beobachtet. Hier ist es hilfreich, die Familienmitglieder für ihren großen Einsatz und die aufopfernde Betreuung erst einmal zu loben und sie in die Betreuung einzubinden beziehungsweise sie zu ermuntern, sich ihrerseits vermehrt um ihre eigenen vernachlässigten Ressourcen zu kümmern.

Vorangegangene Hilfeleistungen aus dem Umfeld des Klienten sollten unbedingt erst einmal gewürdigt werden, selbst wenn sie sich aus der Sicht des Helfers dysfunktional auswirken. So gerät in der Krise alles in Bewegung.

Die Kunst der Begleitung in Krisen besteht darin, dass Veränderungen stattfinden können, ohne dass dies destruktive Auswirkungen hat. Dies ist in der Regel nur möglich, wenn vorübergehend fremde Ressourcen einbezogen werden. Bisherige Ressourcen reichen nicht mehr aus.

Bewältigung einer Krise

Eine gesunde, angemessene Reaktion auf Belastung und Veränderung gelingt in der Regel über mehrere Zwischenschritte. Diese sind:

1. Belastung,
2. Wahrnehmung einer Befindlichkeitsstörung,
3. Bewertung: relevante Problematik,
4. Erkenntnis: Zusammenhang zwischen Befindlichkeitsstörung und Belastung,
5. Lösungskompetenz,

6. zielgerichtete Aktivität,
7. Neudefinition von Prioritäten,
8. Psychohygiene (Schlaf, Essen, Trinken, Ruhe und Aktivität, Kontakt),
9. fortlaufende Problemlösung, bei Bedarf mit Strategiewechsel.

Die belastende Störung, die veränderte Beanspruchung oder ein die Situation völlig veränderndes Ereignis muss überhaupt zuerst wahrgenommen werden. Es gibt viele Menschen, die Schwierigkeiten haben, sich Belastungen tatsächlich einzugestehen. Im Weiteren ist es notwendig, dass diese entstehende Irritation des psychischen Gleichgewichts als wichtige *Herausforderung* akzeptiert wird. Jetzt braucht es die Fähigkeit, gedanklich die entstehende Situation zu erfassen, sodass eine Hypothese hinsichtlich des Problems und der möglichen Lösungen aufgestellt werden kann. Dies erfordert nicht nur eine präzise Wahrnehmung, sondern auch entsprechende soziale Kompetenzen. Die während des Krisenverlaufs entwickelte Lösungsstrategie ist den Personen nicht zwingend bewusst, doch auf Befragen hin sind sie meistens in der Lage, die Elemente ihrer Vorgehensweise zu benennen.

Die von der Krise betroffenen Menschen müssen nun die bestehenden Kompetenzen, über die sie selbst verfügen, aktivieren und Drittpersonen hinzuziehen, sofern sie fremde Hilfe brauchen. Dies erfordert die Fähigkeit, sich entsprechend auszudrücken, und ein Talent dafür, Drittpersonen zu einer Hilfestellung motivieren zu können. Ganz abgesehen davon, dass die Betreffenden über ein minimales soziales Netz verfügen müssen. Häufig müssen Helfende dabei »Übersetzungshilfen« leisten, sollten sich dabei aber immer wieder rückversichern, ob ihre Übersetzung den Vorstellungen der Klienten entspricht.

Zu Beginn der nun einsetzenden Problemlösung ist es notwendig, andere anstehende Aufgaben erst einmal zurückzustellen, um die Komplexität der Situation zu reduzieren. Dies erfordert die Fähigkeit zur Prioritätensetzung und auch eine Anpassung von Selbstansprüchen beziehungsweise einer Neudefinition von Bedürfnissen, um sie an den bestehenden Bedingungen neu ausrichten zu können.

Solche Maßnahmen brauchen Energie, die in zwischengeschalteten Erholungsphasen generiert wird, sodass die Betreffenden weiterhin ihren minimalen Grunderfordernissen bezüglich Essen, Trinken, Schlafen, Ruhe und Aktivität sowie Kontaktaufnahme nachkommen können.

Eine unabdingbare Grundbedingung für eine gelingende Krisenbewältigung ist die Sicherheit vor Bedrohung und Gewalt.

Der nächste Schritt ist die eigentliche Problemlösung. Hier braucht es Mut, etwas Neues zu tun – den aber haben viele Menschen nur sehr eingeschränkt. Diese Phase der experimentellen Problemlösung, einer Phase von Versuch und Irrtum, erfordert eine Evaluation der Resultate dieser Problemlösungsschritte. Je nachdem ist es notwendig, die Zielsetzung oder die Vorgehensweise zu verändern. In der Regel führen derartige Problemlösungsstrategien zu einer wirksamen Entlastung.

Professionelle Helfer lernen bei ihren Klienten die Anteile gelingender Problemlösungen seltener kennen, da sie erst dann hinzugerufen werden, wenn die problematischen Anteile dominieren. Dennoch ist es erstaunlich, wie viele Menschen »eigentlich« wissen, wie sie ein Problem lösen könnten. Sie haben »nur« nicht den Mut, sich eine unrealistische Zielsetzung einzugestehen, und getrauen sich nicht, eingefahrene Gleise zu verlassen. Ziel der Krisenintervention ist die Wiederherstellung des psychischen Gleichgewichts auf den Stand vor der Krise.

Krisen sind Lebensmomente, in denen Gewohntes in Bewegung gerät. Diese Destabilisierung ist einesteils mit Gefahren, anderenteils mit Chancen verbunden.

Die wichtigsten Risiken bei Selbst- und Fremdgefährdung sind neben Suizidalität und Gewalttätigkeit die Erschöpfung eigener und fremder Ressourcen, schließlich die Entwicklung von Krankheit und ein daraus folgender sozialer Abstieg. Systemisch besteht die Gefahr der Entwicklung einer Koproblematik (ein Teil des Problems wird auf den Partner übertragen), einer Spaltung des Sozialsystems und einer Auflösung wichtiger Loyalitäten. Krisen können in psychosoziale Zerstörung münden.

Die Chance in der Krise kann es sein, dass durch eine Aufweichung starrer Strukturen oder Muster die Voraussetzung für funktionalere Lösungen geschaffen wird. Menschen in Krisen müssen notgedrungen Prioritäten anders setzen, sie müssen Rollen neu definieren; es besteht die Chance von Beziehungsklärung, des Gewahrwerdens bisher übergangener wichtiger Sachverhalte, des Anerkennens missachteter Konflikte. Dies alles kann dazu führen, dass neue Perspektiven eingenommen werden und die Betroffenen es schaffen, sich von einer erlebten Aussichtslosigkeit zu verabschieden. Krisen sind zudem Gelegenheiten, um sich neu zu vernetzen und Beziehungen zu intensivieren, aber auch zu beenden. So oder so, Krisen können Anlass zu einer Weiterentwicklung sein.

Die Chance der Krise ist die Befähigung zur Lösung tatsächlich auch lösbarer Probleme.

Was eine Krisenintervention bewirken kann

Während es das Ziel der Psychotherapie ist, dysfunktionale Haltungen und Verhaltensmuster zu überwinden, sodass das Leben eigenverantwortlich mit angemessener Lebensqualität bewältigt werden kann, ist es Ziel der Notfallintervention, akute Selbst- und Fremdgefährdung abzuwenden. Außerhalb der akuten Gefährdung wird der Klient bei der Krisenintervention in die (Mit-)Verantwortung einbezogen, unterstützt durch begleitende Maßnahmen des Helfers. Die Autonomie des Klienten bleibt jedoch gewahrt.

Während bei der Notfallintervention das Augenmerk auf der akuten Gefährdung liegt, von der das Risiko eines nicht wiedergutzumachenden Schadens ausgeht, sind es bei der Krisenintervention in weniger akuten Lagen diejenigen Wirkelemente im Leben des Betreffenden, die aktuell zu einer Destabilisierung beitragen und gleichzeitig beeinflussbar sind. Alle anderen Themen werden zurückgestellt. Die Krise ist dann überwunden, wenn die betreffende Person Alltagsbelastungen ohne Gefährdung des psychophysischen und sozialen Gleichgewichts übersteht.

Ziel der Notfallintervention ist es, akute Selbst- und Fremdgefährdung abzuwenden.

Hilfreich sind bei der Krisenintervention jene Aspekte, die von Aaron Antonovsky schon in den Siebzigerjahren beschrieben wurden: die *Verstehbarkeit* einer Situation, die *Beeinflussbarkeit* dieser Situation und die Würdigung dieser aktuellen Lage als eine Situation, der ein *Sinn* zugeordnet werden kann (ANTONOVSKY 1997). Unter einem solchen Blickwinkel kann die Krise als Chance verstanden werden. Die Krisenintervention wird zu einem durch den Helfer moderierten Gespräch. Dieser ist der Hüter der erkannten Prioritäten. Bei der professionellen Krisenintervention findet sich in der Regel eine komplexe

Situation mit einer Vielzahl von Problemen (umgangssprachlich oft als »Baustellen« bezeichnet), die in Wechselwirkung stehen.

Nach einer Zusammenstellung der Probleme und auch der Ressourcen soll der Klient diejenige »Baustelle« bestimmen, die aktuell am wichtigsten ist (»erste Priorität«). In der Regel handelt es sich um denjenigen Problembereich, der Anlass zum Verlust des psychischen Gleichgewichts darstellt. Am wichtigsten ist diejenige Problematik, deren Lösung mit den vorhandenen (und insbesondere in der Kriseninterventionergänzten) Kräften jetzt realistisch erscheint, und eine Lösung, von der am ehesten eine günstige Auswirkung auf andere Problemfelder ausgeht.

ZIELFINDUNG Bei dem Schritt der Zielfindung sollten jene Ziele umschrieben werden, die in absehbarer Zeit erreicht werden können, der »Plan A«. Und es sollten Zielalternativen (»Plan B«) formuliert werden für den Fall, dass unerwartete Hindernisse auftauchen. Dies ist stets als Gelegenheit zu begreifen, wichtige, bisher missachtete Einflussgrößen bei der Entwicklung der Krise einzubeziehen.

Daraufhin folgt die Definition des ersten kurzfristigen Ziels (bis zur nächsten Konsultation), das realistischerweise erreicht werden kann. Wichtiger als ein grandioser Vorsatz ist ein bescheidener erster Schritt (»small is beautiful!«). Die Betroffenen werden dabei unterstützt, bereits bekannte, bewährte Lösungsmöglichkeiten aufzugreifen. Der Berater darf zwar auch Anregungen geben, sollte jedoch keine Ratschläge erteilen, da er sonst sofort die Verantwortung übernimmt und damit Hilflosigkeitstendenzen des Klienten unterstützen würde. Situationen, die die Krise bis zum nächsten Betreuerkontakt erneut aufflammen lassen könnten, werden vorbesprochen (»Rückfallprophylaxe«). Aus einem solchen Gesprächsablauf ergibt sich, welche Themen auf später verschoben werden können (»zweite Priorität«).

Der Krisenberater achtet darauf, dass das Besprochene realitätsbezogen bleibt und der Klient angemessen gefordert wird. In der Krise besteht die Gefahr, dass ein Betreuer durch seine unterstützende Haltung regressive Tendenzen des Betroffenen zu stark unterstützt, sodass dieser dazu neigt, zu viel Verantwortung an die helfende Person abzugeben. Umgekehrt ist es wichtig, dass der Krisenhelfer darauf achtet, den Klienten nicht zu überfordern. Deshalb ist es bei Beginn der Intervention immer wichtig, gemeinsam präzise Kriterien herauszuarbeiten, an welchen der Klient und seine Umgebung erkennen können, wie die Entwicklung verläuft. Die Krisenintervention ist in erster Linie lösungsorientiert, unterstützend, zugleich auch autonomiefördernd, evaluierend und auf pragmatische Ziele im aktuellen Alltag ausgerichtet.

Ziele und Prioritäten der Krisenintervention sind:

1. Identifikation der »Baustellen«,
2. Bestimmen eines Fokus (das Problem »erster Priorität«),
3. Definition einer Zielsetzung (»Plan A«) mit Alternative, falls dieser Plan nicht gelingt (»Plan B«),
4. Definition des »ersten Schrittes«,
5. Besprechung hilfreicher Methoden bei der Problemlösung,
6. Erörterung eines möglichen »Rückfalls«,
7. Umschreibung von Themen »zweiter Priorität«.

Krisenintervention ist lösungsorientiert, unterstützend, autonomiefördernd und dabei immer pragmatisch.

Aktive Interventionen

Die verschiedenen psychotherapeutischen Schulen betrachten die Entstehung und Bewältigung von Krisen aus unterschiedlichen Perspektiven.

Bei der *kognitiven Verhaltenstherapie* spielt die Diagnostik der Krise eine wichtige Rolle: Der Krisenauslöser sowie die dabei auftretenden Wahrnehmungen und Bewertungen durch den Klienten werden erfasst. Es wird auf den aktuell wichtigsten Problembereich und seine Lösungen fokussiert. Nebst der Gewährung von Schutz und Sicherheit, der sofortigen Entlastung und der Wiedergewinnung psychischer Stabilität ist zudem die Identifikation von Bedingungen von Bedeutung, die erneut zu einer Verstärkung der Krisenreaktion führen könnten. Das Erkennen emotionaler und kognitiver Konfusion und zugleich die Stärkung der Problemlösungskompetenz sind weitere wichtige Themen (ANGENENDT u. a. 2004).

Bei der *psychodynamischen Betrachtung* der Krisenintervention wird auf Ressourcenorientierung geachtet. Es wird darauf hingewiesen, dass der Therapeut aktiv werden muss, dass regressive Tendenzen des Klienten eingegrenzt und sein soziales Umfeld einbezogen werden sollten. Es wird von mehreren Autoren betont, dass eine allzu distanzierte therapeutische Haltung kontraproduktiv wirkt. Die Konzentration auf aktuell besonders bedeutungsvolle Themen (»Fokussierung«) ist wichtig; dabei wird auf ungünstige Beziehungsmuster geachtet unter dem Aspekt einer konstruktiven Bewältigungsweise. Zwar steht jede Krise in einem biografischen Kontext, aber bezüglich weit zurückliegender Ereignisse und ihrer tiefenpsychologischen Interpretation (»Deutungen«) wird Vorsicht empfohlen. Ziel ist es vielmehr, den Alltag wieder eigenständig bewältigen zu können. Dies macht die Erörterung ganz praktischer Vorgehensweisen im Hier und Jetzt notwendig (SCHAUENBURG 2004).

Im aktuellen Leiden manifestiert sich eine biografisch früh entstandene Interaktionsneigung auch in der Beziehung zum Krisenhelfer, weshalb das Gewahrwerden der emotionalen Reaktion des Therapeuten (»Gegenübertragung«) gegenüber dem in der Krise affektiv aufgewühlten Klienten besonders wichtig ist. Der Helfer soll darauf achten, sich nicht in unproduktive Beziehungsmuster verstricken zu lassen (KÜCHENHOFF 2005).

Bei der *systemischen Therapie* wird davon ausgegangen, dass kaum je nur ein einzelner Klient, sondern stets auch sein näheres persönliches Umfeld von einer Krise betroffen ist. Sobald professionelle Krisenhelfer einbezogen werden, hat sich häufig ein neues interaktives Gleichgewicht zwischen nahen Bezugspersonen eingestellt, das es zu berücksichtigen gilt. Deshalb sollten wichtige Bezugspersonen einbezogen werden, insbesondere um sie auch eindeutig von Aufgaben zu entlasten. Die häufig defizitorientierte Perspektive in der Krise, die Hoffnungslosigkeit und scheinbare Aussichtslosigkeit müssen relativiert und unlösbare Konflikte in einen anderen Kontext gestellt werden (von SCHLIPPE & SCHWEITZER 2016).

Hilfreich sind: »Reframing« (Umdeuten durch Wechseln der Perspektive), »positives Konnotieren« (positive Betrachtung von unbeachteten Teilaspekten problematischen Verhaltens), »Wunderfragen« (Herausarbeiten einer versteckten Hoffnung im Hinblick auf verborgene Lösungsansätze) sowie »Lösungsorientierung« (nicht auf das Problem, sondern auf die Lösung fokussierte Betrachtungsweise). Durch »zirkuläres Fragen« (die Frage nach einer Sicht- oder Erlebnisweise einer Person wird nicht dieser direkt, sondern einer mit anwesenden Drittperson gestellt) werden neue Blickwinkel eröffnet, sodass die in der Krise häufig festgefahrene Denkweise (etwa Gedankenkreisen) aufgeweicht und neue Hoffnung vermittelt werden kann (LAUBER & RÖSSLER 2004).

Vertreter der drei erwähnten psychotherapeutischen Richtungen empfehlen insbesondere bei der Krisenintervention, nicht streng in einer schulgemäßen Vorgehensweise stecken zu bleiben, sondern auch Methoden anderer psychotherapeutischer Richtungen einzubeziehen.

In einem Standardwerk der Verhaltenstherapie wird darauf hingewiesen, dass es nach wie vor keine gesicherten empirischen Befunde gibt, von denen sich präzise methodische Evidenzen ableiten lassen. Es wird dafür plädiert, in der Krise unterschiedliche Vorgehensweisen pragmatisch einzusetzen (SCHMIDTKE & SCHALLER 2009). Eine reflektierte Vorgehensweise mit einer Kombination mehrerer Methoden entspricht der Forderung der Praxis. Im Ernstfall der Krisenintervention ist eine Einschränkung auf bloß eine Therapierichtung kontraproduktiv.

Die meisten Psychotherapien und psychosozialen Beratungen verlaufen in charakteristischen Phasen. In der Regel ist es eine Krise, die einen Klienten motiviert, professionelle Hilfe anzufordern. Beratung und Psychotherapie beginnen in solchen Fällen also mit einer Krisenintervention. Dies sind eigentliche Schlüsselerfahrungen bei der Entwicklung eines Vertrauensverhältnisses.

Gleichwohl treten auch in laufenden Psychotherapien Krisen auf. Bei Klientinnen und Klienten, die unter einer bereits länger andauernden seelischen Störung leiden, hat sich oft bereits ein neues Gleichgewicht auf einer weniger differenzierten psychosozialen Stufe eingestellt. Dabei verzichten die Betreffenden auf Lebensqualität und die Leistungs- und Beziehungsfähigkeit sind eingeschränkt. Ständige Beschwerden plagen sie. Eine »Chronifizierung« hat eingesetzt. Die Klienten haben sich seit einiger Zeit mit der Klientenrolle abgefunden und versuchen nun auszubrechen.

Das Ziel der Psychotherapie ist es nun, eine neue Form psychophysischen und sozialen Gleichgewichts zu finden. Der Klient wird ermutigt, Probleme auf andere Weise anzugehen, seine Lebensorganisation zu überdenken und zu verändern und entsprechend auch Beziehungen anders zu gestalten. Dies ist mit den über die Krankheitsentwicklung gelernten dysfunktionalen Verhaltensmustern nicht mehr vereinbar, die durch den therapeutischen Prozess erschüttert werden. Deshalb verlaufen längere Psychotherapien über krisenhafte Durchgangsphasen. In diesen kritischen Übergängen muss mit den methodischen Mitteln der Krisenintervention gearbeitet werden. Die Therapie braucht vorübergehend ein anderes Setting: höhere Sprechstundenfrequenz, kurzfristige Erreichbarkeit des Therapeuten, aktive Intervention, aktiv unterstützendes Verhalten des Therapeuten.

In einer Krisenintervention ist es erforderlich, die Stundenfrequenz zu erhöhen, kurzfristig erreichbar zu sein und aktiv zu intervenieren.

Gewusst, wann und wie – methodisches Vorgehen

Drehbuch: die fünf Phasen einer Intervention

Krisenhelfer sollen fokussiert vorgehen, Prioritäten setzen, lösungsorientiert intervenieren, pragmatisch entscheiden, Ressourcen unterstützen und an konkreten, kleinen Entwicklungsschritten arbeiten, bei denen die Klienten unterstützend begleitet werden. Jedoch spielt nicht nur die Art der Vorgehensweise eine Rolle, sondern auch die Reihenfolge und der Zeitpunkt einer spezifischen Intervention. Im Nachfolgenden wird für unterschiedliche Gefährdungsstufen ein drehbuchartiger Interventionsablauf dargestellt, der in fünf Phasen verläuft. > Gefahrenabschätzung, Seite 112

Besonders bei einem Notfall, wenn wir von einer akuten Selbst- und / oder Fremdgefährdung ausgehen müssen, ist eine sofortige, aktive Intervention unerlässlich. Von den Helferinnen und Helfern ist dabei maximale Flexibilität gefordert. Der bisherige Rahmen der Beratungsroutine muss verlassen werden, womit allerdings auch die Gefahr einer chaotischen Vorgehensweise besteht. Deshalb bewährt sich eine drehbuchartige Herangehensweise mit einem charakteristischen Ablauf in Phasen: von der Erstphase des Verbindungschaffens bis zur Abschlussphase des Verabschiedens (siehe Abbildung 3).

ABBILDUNG 3

Die fünf Phasen einer Intervention

Erste Phase: »Verbinden«	In der Regel im Rahmen eines Telefonanrufs muss mit einer unbekannten Person ein Kontakt aufgenommen werden, sodass erste Vereinbarungen getroffen werden können.
Zweite Phase: »Vorbereitung«	Bevor interveniert werden kann, müssen zuerst Rahmenbedingungen geschaffen werden, damit die Hilfe überhaupt wirksam werden kann und die Helfer genügend Ressourcen zur Verfügung haben.
Dritte Phase: »Verstehen«	Vor Ort, im direkten Kontakt mit dem Patienten und seinen Angehörigen, muss eine breitere Vertrauensbasis geschaffen werden, die Situation muss kurz abgeklärt werden und die Helfer müssen erste Entscheidungen treffen.
Vierte Phase: »Verändern«	Veränderungen werden unter Einbezug der kommunikationsfähigen Personen, die unmittelbar mitbetroffen sind, eingeleitet. Die Maßnahmen sollen sofort entlastend sein, um Ressourcen zu schonen, und neue Lösungswege aufzeigen. Sofort werden erste Schritte eingeleitet.
Fünfte Phase: »Verabschieden«	Die Krisenintervention wird ausdrücklich abgeschlossen im Rahmen einer Standortbestimmung mit kurzer Rückschau und einer Vorausschau unter Einbezug möglicher Rückfälle. Bei Bedarf wird die Betreuung übergeführt in ein Setting mit regulären Rahmenbedingungen.

Dieser phasische Ablauf gilt unabhängig von der Gefährdungslage. Um die anspruchsvolle Aufgabe gelassen zu lösen, bewährt es sich, die drei mittleren Phasen bei der Notfallintervention weiter aufzuteilen in insgesamt neun Interventionsschritte (oft in drei Schritte untergliedert), die im Folgenden näher erläutert werden (siehe auch Abbildung 4).

Um übereiltes Handeln zu vermeiden: Halten Sie sich bei der Intervention an einen drehbuchartigen Ablauf.

1. Phase: Verbinden

Der Erstkontakt erfolgt häufig am Telefon. Anrufer sind nicht selten Drittpersonen, die allerdings oft eine andere Dienstleistung erwarten als die betroffenen Klienten selbst, wie sich schließlich herausstellt. Zum »Verbindungschaffen« gehört es, sich zunächst vorzustellen und die andere Person danach zu fragen, aus welcher Situation heraus sie anruft, sowie auf diskrete, zurückhaltende Weise Anteilnahme an einer Gefühlsreaktion zu zeigen, ohne für oder gegen eine bestimmte Bewertung Position zu beziehen. Die kontaktaufnehmende Person befindet sich in der Regel in einem hoch emotionalen Zustand und braucht erst einmal ein beruhigendes Gegenüber. Zudem ist es hilfreich, Anerkennung dafür zu geben, überhaupt Hilfe angefordert zu haben, da viele Anrufer ambivalent sind, ob sie Hilfe hinzuholen sollen oder nicht, ob sie dazu überhaupt befugt sind, ob das angemessen ist etc.

BEISPIEL

Die Notfallhelferin zu einer Mutter, die aus einer Nachbarwohnung telefoniert: »Ich höre, dass Sie sich Sorgen um Ihren Sohn machen. So wie Sie das erleben, kann ich Ihre Besorgnis gut nachvollziehen. Da ist es ein wichtiger Schritt, dass Sie sich Hilfe holen.«

Das sogenannte aktive Zuhören (das heißt: mit eigenen Worten wiederholen, was wir verstanden haben) hilft, diesen ersten Kontaktfaden nicht abreißen zu lassen. Der Helfer umschreibt knapp seine Hilfemöglichkeiten und erkundigt sich explizit nach dem Anliegen der Hilfesuchenden.

Versuchen Sie in der ersten Phase, durch aktives Zuhören einen Bezug herzustellen und den Kontakt zu halten.

2. Phase: Vorbereiten

In der Eile einer Notsituation neigen wir dazu, unseren inneren Impulsen folgend sofort zu handeln. Dies kann in kritischer Lage zu Konfusion und sinnlosem Aktivismus führen, es sei denn, wir verfügen bereits über Routine und über ein eingespieltes Team. Deshalb ist es angezeigt, sich erst einmal psychisch und organisatorisch vorzubereiten. Dann können wir unsere eigenen Ressourcen sorgfältiger einsetzen und nutzen.

Triage bzw. Notfall-Erstbetreuung (1. Schritt): Zuerst wird die Zuständigkeit und die Dringlichkeit abgeschätzt. Es wird geklärt, ob es sich um ein sofort behandlungsbedürftiges hirnorganisches Leiden handelt (hat der Klient eventuell eine Bewusstseinstrübung, sodass er sofort an eine medizinische Fachperson weiterverwiesen werden muss?) beziehungsweise ob eine akute Selbst- oder Fremdgefährdung besteht (sodass sofort durch den Krisenhelfer und vielleicht weitere Hilfspersonen interveniert werden muss).

Vorbereitung (2. Schritt): Nun wird ein vorläufiger Handlungsplan skizziert. Der Notfallhelfer schafft sich zeitlichen Spielraum und organisiert seine Agenda um. Der Klient und sein in der Regel mitbetroffenes Umfeld erhalten Handlungsanweisungen, um die Wartezeit bis zum Eintreffen des Notfallhelfers überbrücken zu können.

BEISPIEL

Die Gemeindekrankenschwester erhält einen Anruf einer 73-jährigen Patientin, an die sie sich erinnern kann, da sie nach einem operativen Eingriff bei ihr zu Hause einen Verband wechseln musste. Es ist morgens 10 Uhr, die Patientin schildert verzweifelt, wie sehr sie sich allein fühle, seit sich ihr Mann vor einem Jahr von ihr getrennt habe. Ihre Sprache wirkt verwaschen, als hätte sie Alkohol getrunken, was die Klientin jedoch verneint. Sie macht diffuse Suizidandeutungen. Medikamente habe sie nicht eingenommen.

Da sich die Pflegerin gerade in einem anderen Einsatz befindet, bittet sie die verzweifelte Frau, die angibt, immer noch im Bett zu liegen, aufzustehen und einen Tee zuzubereiten. Sie sei in spätestens 45 Minuten bei ihr. Die Patientin wirkt sofort wieder klarer, als sie hört, dass sie nun Besuch erhält. Sie verspricht, Tee zu kochen.

Am Einsatzort wird die Pflegerin von einer sorgfältig frisierten und diskret geschminkten Frau empfangen, die sie ins Wohnzimmer geleitet, wo bereits der Tee und zwei Tassen aus dem besseren Service bereitstehen. Dazu brennt eine Kerze auf dem Tisch. Beim Gang zur Toilette kann die Schwester einen kurzen Blick ins Schlafzimmer werfen, wo sie entdeckt, dass die Patientin wirklich noch bis vor kurzem im Bett lag, und wo Weinflaschen herumstehen. Durch die Übernahme der Rolle als Gastgeberin befindet sich die Klientin jedoch bereits wieder in einer anderen Verfassung, und es gelingt, mit ihr zusammen die aktuelle Situation realitätsgerecht zu handhaben.

Notfallhelfer sollten sich immer auch auf eine Worst-Case-Variante (den schlimmstmöglichen Fall) vorbereiten. Je nach Lage müssen zusätzliche Hilfedienste wie die Polizei aufgeboten werden – eventuell auch vorbeugend.

Setting definieren (3. Schritt): Der Helfer überlegt sich Rahmenbedingungen für die Notfallintervention, was er bei der Begrüßung vor Ort sofort erläutert (wer bespricht was mit welchem Ziel und wie lange?).

BEISPIEL

Nach einem schweren Verkehrsunfall auf der Autobahn erhält die Polizei den Auftrag, der Ehefrau eines tödlich Verunglückten die Todesnachricht zu überbringen. Über andere verletzte Mitfahrer in diesem Auto erfährt die Polizei, dass sich die Ehefrau wegen einer Depression in psychiatrischer Behandlung befindet. Der Psychiater wird alarmiert.

Hundert Meter vom Haus der Familie entfernt trifft sich die Polizei mit dem behandelnden Arzt. Im Polizeifahrzeug wird das weitere Vorgehen kurz abgesprochen. Es wird festgelegt, dass der Polizist, Herr Meier, die Mitteilung machen, die Polizistin Müller sich um die Kinder kümmern wird und der Arzt sich bereithält, um die Reaktion der Frau aufzufangen und die Situation psychiatrisch zu beurteilen. Es wird festgelegt, dass die Polizisten den Einsatzort erst wieder verlassen, wenn der Arzt ein entsprechendes Zeichen gibt.

Die drei begeben sich zur Haustür. Die erstaunte Frau öffnet, sieht zu ihrer Verblüffung ihren Arzt mit der Polizei, der Arzt begrüßt sie, die beiden Polizisten stellen sich vor und bitten darum, eintreten zu können. Die Polizistin erkundigt sich nach den Kindern, die sich offenbar noch im Kindergarten befinden, worauf der Polizist seine Mitteilung macht. Die Frau ist zuerst wie konsterniert, kann die Botschaft kaum fassen, worauf sich der Arzt um die Frau kümmert. Sie bricht schließlich zusammen und der Arzt übernimmt die Gesprächsführung. Sobald sie wieder einigermaßen ansprechbar ist, wird der Empfang der Kinder besprochen. Die Polizistin holt eine in der Nähe lebende Tante an den Einsatzort.

Reservieren Sie sich genügend Zeit, orientieren Sie den Klienten über Ihr Angebot und versuchen Sie ihn während seiner Wartezeit auf Ihren Einsatz mit einer banalen Aufgabe zu beschäftigen, schaffen Sie sich eine ungefährliche Ausgangssituation für Ihren Einsatz.

3. Phase: Verstehen

Bevor wir handeln, müssen wir die Lage vor Ort in knapper Zeit erkunden. Dabei spielt die Kommunikation – die Beziehungsaufnahme – mit allen gesprächsbereiten, kommunikationsfähigen und unterstützenden Personen eine Schlüsselrolle. Damit unsere Intervention wirkt, brauchen wir die Mitarbeit der Kooperationsfähigen. Aufgrund einer Kurzabklärung versuchen wir die Situation vorläufig zu beurteilen, um die notwendigen Maßnahmen einleiten zu können.

Gesprächsintervention (4. Schritt): Im direkten Kontakt wird die Kommunikationsfähigkeit und -bereitschaft der Anwesenden abgeschätzt. Der Kontakt wird primär durch Zuhören und durch moderierendes Nachfragen aufgenommen und vertieft. Dieses in kurzer Zeit entstehende Vertrauen ist die Basis für alle weiteren Klärungen und Maßnahmen.

Abklärung (5. Schritt): Bei den kommunikationsfähigen Personen werden die wichtigsten Informationen zur aktuellen Lage erhoben (Risiken und Ressourcen). Nach Risiken (Suizidalität, Gewaltbereitschaft) sollte offen gefragt werden. Der Einbezug von Ressourcen in die Abklärung ist zentral, da dies nicht nur einen Hinweis auf das Ausmaß der Erschöpfung beziehungsweise der verbliebenen Kräfte und Belastbarkeit ergibt, sondern auch Anhaltspunkte für lösungsorientierte Interventionen erkennen lässt (siehe 8. Schritt).

Beurteilung und Hilfestrategie (6. Schritt): Durch Abschätzung der in der Interaktion erlebten Beeinflussbarkeit der aktuellen Lage sowie mittels Auswertung der anamnestischen Informationen und der eigenen Beobachtungen entwirft der Notfallhelfer eine vorläufige Hilfestrategie. Der Schweregrad einer psychischen Störung ergibt sich im Wesentlichen aus ihrer geringen Beeinflussbarkeit im Verlauf der Intervention. Der psychopathologische Zustand zu Beginn der Notfallhilfe ist hingegen weniger aussagekräftig. Je geringer die Kommunikationsstörung und je besser die Reaktion auf die Intervention, desto weniger schwerwiegend ist eine akute Störung.

Achten Sie auf die Veränderbarkeit einer Störung während der Intervention! Veränderbarkeit ist ein gutes Zeichen.

BEISPIEL

Eine Angehörige ruft in einer Kriseninterventionsstelle an und sagt, dass eine 25-jährige Frau kaum ansprechbar im Zimmer des Personalchefs sitze. Sie sei wach, in ihrem Verhalten jedoch »komisch«. Zwei Mitarbeiterinnen des Interventionsdienstes begeben sich an den Einsatzort, ein Warenhaus in der Fußgängerzone. Vom besorgten Personaldirektor werden sie in ein Besprechungszimmer gerufen, wo in einer Ecke eine Frau steht, die mit offenen Augen, jedoch im Übrigen reglos die Hereinkommenden ansieht. Die Krisendienstmitarbeiterinnen stellen sich vor, eine von ihnen umreißt ihre aktuelle Aufgabe und weist darauf hin, dass sie abklären muss, ob eine psychiatrische Behandlungsbedürftigkeit, insbesondere eine Fremd- oder Selbstgefährdung vorliege. Die angesprochene Frau bleibt wie eine Statue stehen.

Die Mitarbeiterinnen besprechen sich außer Hörweite kurz miteinander, wie sie strategisch weiter vorgehen können. Sie legen sich einen Plan A (falls die Klientin kommunikationsfähig ist: ambulante Weiterführung des Kontakts) und einen Plan B (falls die Patientin nicht kommunikationsfähig ist: Hinzuziehung eines Arztes) zurecht. Die eine Helferin orientiert die unbeweglich dastehende Frau darüber, dass die Helferinnen, wenn die Klien-

tin weiterhin keine Antwort gebe, davon ausgehen, dass sie aus Krankheitsgründen nicht in der Lage sei zu sprechen, sodass sie dann einen Arzt hinzuziehen würden für weitere Maßnahmen. Auch in diesem Moment bleibt die Frau völlig reglos.
Der herbeigerufene Arzt lässt eine Klinikeinweisung vornehmen. Später stellt sich heraus, dass die Betreffende an einer katatonen Schizophrenie leidet.

Wie weiter oben schon erwähnt, ist es ratsam, immer einen alternativen Vorgehensplan (Plan B) zu erwägen, falls sich der vorgesehene Plan A als nicht umsetzbar herausstellt.

BEISPIEL

Die Polizei einer Kleinstadt ist zuständig für Notfalleinsätze während der Nacht und am Wochenende. Von besorgten Nachbarn werden sie gerufen, da in einer bestimmten Wohnung eines Mehrfamilienhauses eine offensichtlich magersüchtige Frau seit vielen Tagen nicht mehr im Treppenhaus aufgetaucht sei und auf Klopfen oder Läuten keine Reaktion erfolge. Unter der Annahme einer möglichen akuten Selbstgefährdung beschaffen sich die Beamten Zugang zur Wohnung und finden in einem völlig verwahrlosten Schlafzimmer auf einer auf dem Boden liegenden Matratze eine zu einem Gerippe abgemagerte junge Frau, die kaum reagiert. Im Verlauf einer kurzen Abklärung wird deutlich, dass die apathische Frau Suizidgedanken hat.
Nach einem kurzen Gespräch, das die beiden Polizisten in einem Nebenraum führen, einigen sie sich auf einen Plan A: Sie versuchen, Angehörige zu mobilisieren, die die Betreffende in Obhut nehmen, damit so eine psychiatrische und medizinische Betreuung eingeleitet werden kann. Falls dies nicht möglich ist, ist eine nähere Abklärung in einer Klinik notwendig, um die of-

fensichtlich gefährdete, schwer kranke Patientin einer geeigneten Behandlung zuzuführen (Plan B).

Zuerst Beziehung aufnehmen und erst dann handeln! Aktuelle Gefährdung abklären! Nach verbliebenen Ressourcen suchen. Bei akuter Gefahr davon ausgehen, mit welcher Vorgehensweise sich die Situation ab sofort verändern lässt.

4. Phase: Verändern

Natürlich finden schon ab Beginn einer Intervention Veränderungen statt. In der vierten Phase sind die Veränderungen jedoch Hauptziel der Bemühungen. Dabei soll sich der Notfallhelfer nicht überfordern und auch nicht den Patienten und sein Umfeld unter Leistungsdruck setzen. Fehlende Veränderbarkeit ist ein wertvoller Hinweis auf eine möglicherweise schwere Störung, die mit ambulanten Mitteln allein nicht angegangen werden kann. In solchen Fällen ist die Empfehlung zu einem Klinikaufenthalt oder bei akuter, nicht anders abwendbarer Gefahr eine rasche Klinikeinweisung zu erwägen.

Notfallkonferenz (7. Schritt): Damit überhaupt die Chance einer zielgerichteten und konstruktiven Entwicklung besteht, sollte jedes »Register« gezogen werden. Deshalb sind alle Kräfte zu vereinen. Vor der nachfolgenden Hauptintervention wird mit den kommunikationsfähigen Personen eine kurze, improvisierte Notfallkonferenz abgehalten. Der Notfallhelfer orientiert alle über die Risikoabschätzung und seinen Handlungsplan, verteilt Rollen und Aufgaben (etwa für die Vorbereitung einer Zwangseinweisung), damit die konstruktiven Kräfte gebündelt werden können.

BEISPIEL

Ein Mitarbeiter eines Sozialpsychiatrischen Dienstes, eine Pflegefachkraft, wird zu einem Patienten gerufen, der offenbar seit mehreren Tagen zunehmend wahnhafte Inhalte äußert. Die Be-

treuerin eines Wohnheims ist beunruhigt. Der Patient ist diesem Notfallhelfer bereits bekannt und derartige Phasen sind nicht neu. In der Regel hängt das Verhalten damit zusammen, dass der Mann die Medikamente nicht mehr regelmäßig eingenommen hat.
Beim Besuch in seinem Zimmer merkt der Helfer, dass sich die Situation nicht grundlegend von bisherigen Krisenlagen unterscheidet. Sein Plan A ist, dem Patienten das Medikament zu verabreichen und eine intensivere Betreuung für die nächsten 36 Stunden einzurichten. Falls dies nicht klappt, wird er eine Klinikeinweisung vorzunehmen versuchen, damit diese Krise frühzeitig abgefangen und die Hintergründe der unterlassenen Medikamenteneinnahme besprochen werden können. Er erläutert dem Patienten in knappen Worten seinen Handlungsplan und trifft sich dann mit der Wohnbetreuerin in einem Nebenzimmer, um ihr die Situation darzulegen. Sie beschließen, dem Patienten die Medikamenteneinnahme klarzumachen.
Zurück in dessen Zimmer, gibt der Betreuer dem Patienten die Tabletten mit einem Glas Wasser. Durch das direktive Vorgehen gelingt es, die psychotische Ambivalenz zu durchbrechen. Plan A gelingt. Wieder im Nebenraum, bespricht der Notfallhelfer das weitere Vorgehen mit der Wohnbetreuerin und ihrer Kollegin. Falls die nächste Dosis wieder nicht eingenommen wird, können sie sich erneut und unmittelbar an den Notfallhelfer wenden, der weiterhin zur Verfügung steht. Sie rechnen damit, dass dies höchstens noch ein weiteres Mal notwendig ist. Die Intervention nach Plan A scheint gelungen.

Ambulante Maßnahmen (8. Schritt): Die vorgesehenen Maßnahmen werden sofort umgesetzt: Der Notfallhelfer setzt Prioritäten, moderiert, es werden Selbsthilfekräfte und Ressourcen aus dem Umfeld aktiviert (»Was hat Ihnen bei der letzten derartigen Krise geholfen?«), Belastungen werden reduziert, unmittelbar umsetzbare Lösungen werden eingeleitet und der Klient und sein Umfeld werden mit externen Hilfepersonen (private und professionelle) vernetzt. Sofern notwendig, wird eine Tablette eines kurz wirksamen Benzodiazepins zur Beruhigung eingesetzt; zur Vorbereitung auf einen schwierigen Kliententransport in eine Klinik wird ein Medikament zum Schlucken verabreicht. Injektionen sind höchst selten notwendig (siehe Beispiel).

Evaluation – eventuell Klinikeinweisung (9. Schritt): In der abschließenden Evaluation vergegenwärtigt sich der Notfallhelfer, ob die Gefahr während der Intervention bis zum nächsten vereinbarten Patientenkontakt behoben ist oder der Klient doch noch in eine sichere Umgebung (etwa eine Klinik) gebracht werden muss.

BEISPIEL

Die Mitarbeiterin einer Beratungsstelle erhält den Anruf eines 55-jährigen Mannes, der vor drei Jahren bei ihr in einer Beratung war. Der Mann wirkt völlig verzweifelt. Sie fragt ihn, ob er es schaffe, zu ihr in die Beratungsstelle zu kommen, was er klar bejaht.

Im Zusammenhang mit einer beruflichen Belastungssituation, die seine Verantwortung als Vorgesetzter betrifft, fühle er sich als Versager und gegenüber seinen Mitarbeitern als schuldig. Er sieht sich in einem solchen Engpass, dass er sich nur noch durch einen Suizid daraus »befreien« könne. In einer ersten Abklärung wird deutlich, dass der Verzweifelte einsteigt auf das Gesprächsangebot. Es besteht die Chance einer ambulanten Lösung.

Die Helferin entschließt sich zu einer Notfallkonferenz. Sie lädt dazu ein: die Ehefrau – die er als wichtige Stütze bezeichnet, die von seiner Verzweiflung jedoch nichts weiß – und ein Mitglied der Geschäftsleitung, zu dem der Klient Vertrauen hat. Beide fahren per Taxi sofort an.

Der Vorgesetzte hat Verständnis für die aktuelle Situation und macht dem Klienten klar, dass ihn hier keine Schuld treffe. Dieser ist in der Lage, diese Botschaft aufzunehmen. Die Frau ist überrascht von der schweren Krise, die sie zwar ahnte, aber sich nicht erklären konnte, und reagiert erschreckt und besorgt. Die Beraterin kann beobachten, welch emotionale Entlastung es bedeutet, dass der Klient es schafft, seine Frau ins Vertrauen zu ziehen, worauf sich auch die Ehefrau beruhigt.
Die Beraterin ergreift nun Maßnahmen: Sie klärt sorgfältig ab, welche Rückfallgefahren bestehen, und installiert mit den Beteiligten einen Notfallplan, falls wider Erwarten bis zur nächsten Beratungsstunde erneut heftige Suizidgedanken auftreten. Sie bespricht konkret die Gestaltung des bevorstehenden Abends, die Nachtruhe sowie den Ablauf des folgenden Tages, bis der Klient wieder in die Sprechstunde kommen wird.
In der abschließenden Evaluation erkennt die Beraterin, dass die Frau des Klienten emotional wieder entspannter reagiert, er selbst wieder zuversichtliche Bemerkungen macht und sich nachvollziehbar von seinen Suizidideen distanzieren kann. Die Beraterin spürt auch intuitiv keine akuten Gefahrenzeichen mehr.

Beziehen Sie alle konstruktiven Kräfte ein, aktivieren Sie Selbsthilfekräfte, erläutern Sie alle hier und jetzt notwendigen Maßnahmen und treffen Sie ausdrückliche *Vereinbarungen!*

5. Phase: Verabschieden

Zur Abrundung des Kontakts verabschieden sich Klient und Helfer voneinander. Der Helfer überprüft nochmals, ob die wichtigsten Botschaften verstanden wurden und der Nachbetreuungskontakt gewährleistet ist. Eventuell ist ein Nachgespräch nach dem Einsatz notwendig.

BEISPIEL

Der beigezogene Dienstarzt des Sozialpsychiatrischen Dienstes muss bei einer Frau mit einer wahnhaften Störung eine Klinikeinweisung verfügen. Der Vorgang entwickelt sich turbulent, da plötzlich Kinder der Familie nach Hause kommen und in das Geschehen einzugreifen versuchen. Dem Vater gelingt es, die Kinder in einen Nebenraum zu bitten, wo er versucht, ihnen zu erklären, was geschieht. Die zwei jugendlichen Söhne lassen sich nicht abhalten, die Tür zu öffnen, und sehen dabei, wie ihre Mutter in Handschellen von der Polizei abgeführt wird. Nun beginnen auch die drei anderen Geschwister, die inzwischen heimgekommen sind, zu weinen.

Nachdem das Ambulanzfahrzeug mit der Patientin weggefahren ist, versammelt der Notfallhelfer den Vater und die Kinder im Wohnzimmer und steht ihnen Rede und Antwort. Der älteste Sohn, ein 18-jähriger Gymnasiast, greift den Sozialarbeiter heftig an. Die übrigen Geschwister weinen. Der Sozialarbeiter stellt sich der Kritik und gibt dem Jungen zu verstehen, dass er seine Reaktion nachvollziehen kann und dass es ihm sehr leidtue, dass die Mutter auf diese Art und Weise in die Klinik gebracht werden musste. Er erklärt den Anlass der Sorge: Die Mutter habe auf dem Küchentisch ein Feuer entzündet und sich als Hexe gefühlt, die durch einen Ritus ihre Familie vom Bösen reinigen müsse.

Er weist im Übrigen darauf hin, dass sich die Mutter trotz ihrer schweren psychischen Erkrankung im Rahmen dessen, was für sie möglich war, kooperativ gezeigt hat. Die Handschellen seien nur verwendet worden, um eine plötzliche Flucht oder eine unberechenbare Reaktion einzugrenzen. Dies wäre nicht Ausdruck der Persönlichkeit der Mutter, sondern nur im Zusammenhang mit der akuten Erkrankung zu sehen. Sie komme jetzt in eine Klinik, in der sie die ihr angemessene Behandlung erhalte, weil die Angehörigen damit überfordert seien.

Nun melden sich andere Geschwister mit Fragen, die der Sozialarbeiter alle beantwortet. Er lässt sich von den Anwürfen nicht aus der Ruhe bringen, rechtfertigt sich nicht, sondern erklärt. Schließlich ergreift der Vater das Wort und sagt, dass er danke für diese Intervention, da er sich große Sorgen gemacht habe um seine Frau, weil unmittelbare Gefahr bestanden habe für das Haus und damit auch für die Familie und die übrigen Bewohner. Allmählich können sich die Jugendlichen und Kinder fassen, das jüngste ist in der Zwischenzeit auf den Schoß des Vaters gestiegen, wo es sich schluchzend am ebenfalls weinenden Vater festhält. Der Sozialarbeiter fragt, ob er ein Glas Wasser haben könne, was das Signal zu einem Szenenwechsel gibt. Der Vater holt Mineralwasser und alle trinken etwas.

Die Sitzung lässt sich damit abschließen. Vier Wochen später meldet sich die eingewiesene Patientin beim Sozialarbeiter des Krisendienstes und bedankt sich für das sorgfältige Gespräch mit ihren Kindern, von dem man ihr erzählt hat.

Wenn mit Eltern gearbeitet wird, so denken Sie stets an die Kinder. Bei einer möglichen Gefährdung wende man sich ans Jugendamt. Überlassen Sie Kinder nie sich allein, wenn Eltern in die Klinik eingewiesen werden. Übrigens sind auch Haustiere nicht zu vergessen.

ABBILDUNG 4

Die 5 Phasen und 9 Schritte einer Notfallintervention

1. Phase »Verbinden«	
	Telefonische Kontaktaufnahme
2. Phase »Vorbereiten«	
1. Schritt: Triage	Schlüsselsyndrom? Dringlichkeit? Zuständigkeit? Interventionsort? Teilnehmende?
2. Schritt: Vorbereitung	Telefonische Kurzintervention Persönliche Vorbereitung
3. Schritt: Setting	Rahmenbedingungen schaffen Klienten und Angehörige aktivieren
3. Phase »Verstehen«	
4. Schritt: Gesprächs-intervention	Zuhören Stellung beziehen
5. Schritt: Abklärung	Notfallanlass? Aktuelle Lebenssituation? Befürchtungen, Hoffnungen? Kooperation mit dem Helfer?
6. Schritt: Beurteilung und Hilfestrategie	1. Kriterium: seelisch-körperliche Gefährdung 2. Kriterium: psychosoziale Gefährdung Schlussfolgerung: Hilfestrategie
4. Phase »Verändern«	
7. Schritt: Notfallkonferenz	Gemeinsame Problemdefinition Planung der entlastenden Veränderung
8. Schritt: Ambulante Maßnahmen	Vernetzung Psychohygiene Entlastung Medikamente Time-out
9. Schritt: Evaluation – Klinikeinweisung?	Behandlungsbündnis Evaluation
5. Phase »Verabschieden«	
	Abschied Übergang zu Krisenintervention

»Schlüsselsyndrome«: Vorgehen je nach anfänglichem Erscheinungsbild

»Schlüsselsyndrome« sind typische psychiatrisch-psychosoziale Problemlagen, wie sie von Anrufern, meist Laien, bei einem Notfall geschildert werden. Die Vorgehensweisen bei diesen unterschiedlichen psychiatrischen Situationen entsprechen den in diesem Buch dargelegten Prinzipien. Ausgebildete Fachpersonen sollten spezifische Methoden anwenden, um angemessen auf die jeweils störungsbedingten Auffälligkeiten zu reagieren. Sie hier im Einzelnen zu erläutern ist nicht möglich (siehe dazu Rupp 2010). Ein paar Hinweise seien an dieser Stelle aber gegeben, um darzulegen, welche weiteren Fachpersonen durch nichtmedizinische Krisenhelfer hinzugezogen werden müssen, wenn psychiatrische Auffälligkeiten dominieren.

Psychische Störungen, die mit Fieber einhergehen oder bei denen eine Bewusstseinstrübung auftritt oder sogar zunimmt, sowie bei Angstzuständen, die mit Brustschmerz verbunden sind und vorgängig noch nicht medizinisch abgeklärt wurden, ist eine sofortige medizinische Intervention dringend notwendig. Auch wenn andere körperliche Beschwerden vorhanden sind, setze man sich mit einem Arzt in Verbindung.

Bei Personen, zu denen trotz anzunehmender Sprachkompetenz keine Kommunikation gelingt und die ein skurriles, verschrobenes, durch Ansprechen nicht veränderbares Verhalten aufweisen oder bei denen erhebliche Wahrnehmungsverzerrungen beobachtet werden können, ist eine sofortige psychiatrische Hilfe notwendig. Es kann sich bei unbekannten Personen nicht nur um eine psychotische, sondern auch um eine hirnorganische Störung handeln, weshalb eine ärztliche Abklärung erforderlich ist.

Menschen, die verzweifelt sind, ratlos, auch Suizidgedanken äußern, sich von diesen Suizidgedanken jedoch im Lauf des Gesprächs nachvollziehbar distanzieren, können im Rahmen einer psychosozialen Begleitung betreut werden. Falls nach einem eingehenden Beratungsgespräch nach wie vor eine akute Suizidalität nicht ausgeschlossen werden kann oder die betreffende Person nicht vertragsfähig wirkt, ist sofort eine psychiatrische Betreuung anzufordern. Diese Personen dürfen nicht sich selbst überlassen werden!

Menschen, die im Zusammenhang mit Konflikten gewaltbereit oder gewalttätig waren, jedoch in der Kommunikation ansprechbar sind und auf die Interventionen eines Notfallhelfers einzugehen beginnen, können im Rahmen einer Beratung weiterbetreut werden, es sei denn, es sind psychopathologische Zustände feststellbar, wie sie oben beschrieben wurden.

Personen in einem Rauschzustand beziehungsweise einem Folgezustand im Zusammenhang mit Suchtmittelkonsum (etwa beim Entzug) sind einer medizinischen Betreuung zuzuführen, falls es sich nicht um einen banalen Rauschzustand handelt und sofern sich das Erscheinungsbild nicht verschlechtert. Dies gilt wieder unter der Voraussetzung, dass die in den oberen Abschnitten geschilderten psychopathologischen Veränderungen nicht vorliegen.

Eine besondere Personengruppe sind Menschen, die sich sozusagen in einer chronischen Krise oder gar in einer Dauer-Notfallsituation befinden. Häufig sind dies Personen mit einer emotional instabilen Persönlichkeit, die sich selbst verletzen und immer wieder von Suizidgedanken geplagt werden. Dies ist für Notfallhelfer oder Krisenberater die anspruchsvollste Personengruppe. Falls die oben erwähnten Zustandsbilder im Zusammenhang mit chronischen Krisenverläufen auftreten, ist zu verfahren, wie oben beschrieben. Falls keine derartigen Beschwerdebilder vorliegen, bewähren sich spezifische Vorgehensweisen, die andernorts ausführlicher geschildert werden (Rupp 2010) und die hier in der Abbildung 5 als Übersicht zusammengestellt sind.

ABBILDUNG 5

Beizug medizinischer Fachpersonen je nach Notfallsyndrom

Körperliche Problematik im Vordergrund (Fieber über 39 Grad, Brustschmerz, Bewusstseinstrübung, Übelkeit und Erbrechen, schlechter körperlicher Allgemeinzustand etc.) → Arzt

---

Realitätsfremde Wahrnehmungen (Wahn, Halluzinationen wie Stimmenhören etc.), absonderliches, unberechenbares Verhalten, nicht abklingende psychomotorische Erregung etc. → Facharzt für Psychiatrie

---

Menschen, die sich von einer Suizididee nicht glaubhaft distanzieren können → Facharzt für Psychiatrie

---

Personen in einem Rausch oder Entzug mit körperlichen (etwa epileptischer Anfall) oder psychischen (Wahn oder Erregung und Verwirrung u. Ä.) Komplikationen beziehungsweise mit bleibender oder gar zunehmender Bewusstseinstrübung → Arzt

---

Menschen, die chronisch suizidal sind, sich selbst verletzen und emotional instabil sind → Facharzt für Psychiatrie, Psychotherapeut

Je nach Ausmaß der aktuellen Gefährdung gibt es unterschiedliche Akzente in der Vorgehensweise. Je weniger eine Person ansprechbar erscheint oder auf das Kommunikationsangebot sinnvoll reagiert, desto eher sind aktive Interventionen, gegebenenfalls auch Maßnahmen unter Beizug weiterer Helfer bis hin zu Polizei und Rettungsdiensten notwendig.

Bei Verdacht auf akute medizinische oder psychiatrische Gefährdung sofort einen Arzt und bei Gewaltgefahr die Polizei, bei Gefährdung von Kindern das Jugendamt hinzuziehen!

Setting: Rahmenbedingungen für lösbare Aufgaben schaffen

In der Aus- und Weiterbildung von psychiatrisch tätigen Berufsgruppen, von Psychotherapeuten und anderen Helfern in psychosozialen Arbeitsfeldern wird in erster Linie die methodische Vorgehensweise in einem regulären Setting vermittelt. Ein reguläres Setting im Rahmen vorher vereinbarter regelmäßiger Sprechstundenbegegnungen ist allerdings nur dann möglich, wenn sich Menschen nicht in einer Notlage befinden. Doch auch in akuten Situationen ist es wichtig, die Rahmenbedingungen für den Einsatz ausdrücklich zu definieren. Diese müssen in kurzer Zeit festgelegt werden. Je nach Verlauf der Intervention braucht es später eine Anpassung an die veränderte Lage, worüber ausdrücklich zu informieren ist. Es sind dabei unterschiedliche Settings möglich.

ERSTKONTAKT Nahezu immer findet der Erstkontakt während einer Krise am Telefon statt, häufig über Drittpersonen. Der Helfer stellt sich mit seiner Funktion vor: Nach erfolgter Kontaktaufnahme umreißt er mit knappen Worten, welche Aufgaben er hat und welchen Zeitraum er zur Verfügung stellt, um mit der betreffenden Person zu sprechen. Die telefonische Intervention ist anspruchsvoll, da eine ganze Reihe nonverbaler Signale fehlen, die die Wortbotschaften kommentieren. Dadurch kann man sich bezüglich der Dringlichkeit eines notwendigen Einsatzes täuschen. Deshalb ist im Zweifelsfall von der gefährlicheren Variante auszugehen. Falls die Anrufer kommunikationsfähig sind, können das Setting für die Intervention und die bis zum persönlichen Helferkontakt vor Ort verstreichende Zeit besprochen werden.

TEE-INTERVENTION Die Anrufer und die unmittelbar betroffenen Personen brauchen Handlungsanleitungen, die die Wartezeit strukturieren helfen. Sehr bewährt hat sich die »Tee-Intervention«: Der Notfallhelfer orientiert über die Dauer der Wartezeit und empfiehlt den Betreffenden, falls sie sich beispielsweise noch im Bett befinden, aufzustehen, eine Dusche zu nehmen, sich anzuziehen und anschließend einen Tee zuzubereiten, da der Notfallhelfer viel unterwegs gewesen und froh ist, zu Beginn etwas zu trinken. Dies ist nicht nur für den Helfer sinnvoll, sondern viele Menschen in Krisen haben nicht mehr genug getrunken, nicht mehr richtig gegessen und sind häufig auch übernächtigt. Zudem wird den Hilfesuchenden die Gastgeberrolle übertragen, die ihnen vertraut ist und die sie sofort mit Kompetenz ausstattet. Das gibt einem Hausbesuch eine gut strukturierte Ausgangslage.

HAUSBESUCH Ein Hausbesuch ist sinnvoll, wenn es um eine akute Selbst- und Fremdgefährdung geht und die betroffenen Personen nicht mehr sichere, verlässliche Vereinbarungen treffen können. Hausbesuche sind insbesondere sinnvoll bei unmittelbar mitbetroffenen Angehörigen wie Kindern. Bei schwer kommunikationsbeeinträchtigten Personen sind ebenfalls Hausbesuche notwendig, jedoch stets in Begleitung einer weiteren Person, bei Gewaltgefahr ist das in der Regel die Polizei.

Hausbesuche sind nicht sinnvoll bei Personen, die dem Helfer bereits bekannt sind, deren Verlässlichkeit abschätzbar ist und die bereit sind, immer noch ein gewisses Maß an Selbstverantwortung zu übernehmen. Hier ist eine Sprechstundenkonsultation ratsam. Ebenso ist es bei Menschen in chronischen Krisen sinnvoll, die Betreffenden entweder im Rahmen eines Telefonkontakts zu betreuen oder sie in die Sprechstunde zu bitten. Die Klienten müssen im Verlauf einer andauernden Krise lernen, wie sie mit ihren Helfern umgehen müssen, damit diese in der Lage sind, ihnen auch längerfristig Unterstützung geben zu können.

Hausbesuche ergeben grundsätzlich einen hohen Nutzen, da innerhalb kurzer Zeit ein großes Ausmaß an Kontextinformation möglich wird (siehe Obert u. a. 2018). Auch kann zu Hause sofort abgeklärt werden, wie groß die Selbstkompetenz der betreffenden Person noch ist, wieweit sie ihr Leben eigenverantwortlich gestalten kann, wie gut die Selbstfürsorge gelingt.

Menschen mit zunehmender Bewusstseinstrübung brauchen einen sofortigen Einsatz von Sanitätsdienst und Notarzt. Dies trifft ebenfalls auf Menschen zu, die im Zusammenhang mit einem Angstzustand erstmalig über Brustschmerzen klagen.

Zu Personen, die sich in äußerster Gefahr befinden (etwa ein Suizidaler auf einem Hausdach), muss sofort die Polizei oder die Feuerwehr geschickt werden. Der Notfallhelfer begibt sich anschließend ebenfalls an den Einsatzort, wo er sich für das weitere Vorgehen zuerst mit den Rettungskräften abspricht.

Bei der Krisenintervention, also bei der Vorgehensweise mit vereinbarungsfähigen Klienten außerhalb akuter Selbst- und Fremdgefährdung, müssen die Krisenberater davon ausgehen, dass das psychische Gleichgewicht nach wie vor labil ist. Die wichtigste Unterstützung für den Klienten ist ein vertrauensvoller Bezug. Deshalb sollte mit dem Klienten in der ersten Stunde besprochen werden, wie der Berater erreichbar ist und welche Spielregeln es dafür gibt (telefonische Erreichbarkeit außerhalb der Bürozeiten etc.).

Auch im Notfall stets Rahmenbedingungen definieren, die eine Interventionsaufgabe lösbar machen.

Beurteilung: von der Triage bis zur Evaluation

Während der ganzen Dauer der Intervention gibt es Beurteilungs- beziehungsweise Evaluationsmomente. In der Notfallsituation ist von unmittelbarer Selbst- oder Fremdgefährdung auszugehen, bis das

Gegenteil erwiesen ist. In der Krisenintervention ist das psychische Gleichgewicht gefährdet, sodass auch dort regelmäßig die psychische Stabilität überprüft werden muss, um feststellen zu können, ob der Kriseninterventionsprozess konstruktiv verläuft.

Es gibt verschiedene Momente, bei denen es im Verlauf der Intervention zu einer Beurteilung kommen muss.

»TRIAGE« Zu Beginn der Erstintervention ist eine Kurzbeurteilung (»Triage«) am Telefon nötig: Besteht Selbstgefährdung (Suizidalität etc.) oder Fremdgefährdung (Gewalttätigkeit, Brandgefahr, provokatives Verhalten mit der Gefahr einer Konflikteskalation in einer Beziehung etc.)? Ist diese Gefährdung akut oder besteht sie bereits seit längerer Zeit? Wie groß ist diese Gefährdung (Impulskontrolle, Realitätsbezug, Einwirkung durch Dritte)?

Im Weiteren braucht es eine Beurteilung der Zuständigkeit. Ist der Helfer tatsächlich die geeignete Ansprechperson? Handelt es sich zum Beispiel um eine zunehmende Bewusstseinsstörung, die nicht eine sozialpädagogische Gesprächsintervention braucht, sondern eine sofortige notärztliche Intervention mit Rettungsdiensten (siehe oben Abbildung 5)?

AUFTRAGSKLÄRUNG Sehr wichtig ist die ausdrückliche Auftragsklärung speziell beim Hilfeersuchen durch Drittpersonen, um die bei Notfallsituationen komplexe Auftragslage für alle Beteiligten transparent zu machen. Der Helfer soll sich damit vergegenwärtigen, in welchem Dilemma er selbst sich möglicherweise befindet (ist eine zusätzliche Hilfestellung etwa durch Hinzuziehung der Polizei nötig?). Es braucht hierbei die Beurteilung von drei Elementen (siehe Abbildung 6).

ABBILDUNG 6

Auftragslage und Bereich der Zusammenarbeit (Kooperation)

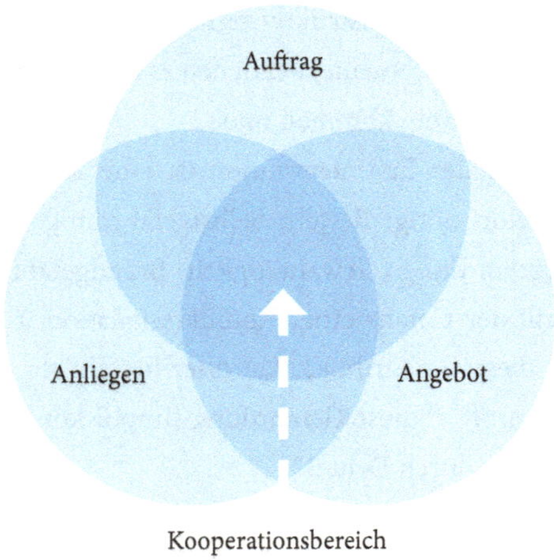

Als Erstes sollten Helferinnen und Helfer deutlich machen, welchen gesetzlichen beziehungsweise institutionellen Auftrag sie erfüllen. Das kann so klingen: »Ich bin Psychiatriepflegefachkraft, Mitarbeiterin eines Krisendienstes und von abends 20 Uhr bis morgens 8 Uhr zuständig, die notwendige Hilfestellung zu leisten und bei Bedarf ärztliche Hilfe beizuziehen.«

Als Zweites ist das Anliegen des Anrufers, dann das des Hauptbetroffenen sowie von beteiligten Drittpersonen zu erkunden. Häufig muss man ausdrücklich danach fragen. Hierbei handelt es sich um das explizite, um das ausgedrückte Anliegen, es gibt allerdings auch ein implizites Anliegen, das nicht ausgesprochen wird und das gelegentlich vom expliziten Anliegen abweicht. Das implizite, also nicht ausdrücklich formulierte Anliegen wird dem Helfer durch eine Art szenische Information übermittelt. Diese erkennt der Helfer daran, in welche Rolle er durch den Anrufer gebracht wird und was er intuitiv als Anliegen des Anrufers vermutet.

BEISPIEL

DER HELFER: »Sie schildern mir, wie Sie sich Sorgen um Ihren 18-jährigen Sohn machen, der sich seit zehn Tagen in seinem Zimmer einschließt und Selbstgespräche führt. Was ist Ihr Anliegen an mich?«

DIE ANRUFENDE MUTTER: »Ich bitte Sie, mit meinem zu Sohn sprechen, damit er Hilfe annimmt, denn mein Mann und ich und unsere 13-jährige Tochter halten diese Dauerbelastung nicht mehr aus.«

DER HELFER: »Ich verstehe Sie so, dass Sie wünschen, dass ich einen Hausbesuch machen soll, nachdem Ihr Sohn nicht bereit war, von sich aus einen Arzt aufzusuchen.«

DIE MUTTER: »Ja, bitte.«

DER HELFER: »Ich werde dies tun und mit einem Kollegen vom Krisendienst, Herrn Huber, kommen. Ich merke, dass Sie darauf hoffen, dass keine Klinikbehandlung notwendig wird.«

Als Drittes ist es notwendig, dem Anrufenden beziehungsweise dem Klienten und den Angehörigen ausdrücklich darzulegen, welche Angebote der Helfer in der Notfallsituation beziehungsweise in dem Krisengespräch hier und jetzt leisten kann. Dazu gehört, den Gesprächsort sowie die voraussichtlich beanspruchte Gesprächszeit zu umreißen. > Setting, Seiten 58, 69 f., 115, 132, 140

BEISPIEL

DER HELFER: »Möglicherweise wird Ihr Sohn unsere ambulante Hilfe nicht annehmen, weshalb ich je nach Situation einen Arzt unseres Hintergrunddienstes beiziehen werde, der über weitere notwendige Maßnahmen entscheiden wird.«

DIE MUTTER: »Wir sind froh, wenn etwas geschieht, denn wir halten dies nicht länger aus.«

DER HELFER: »In rund vierzig Minuten sind wir bei Ihnen. Wir reservieren uns eine Stunde Zeit für den Besuch.«

Gerade bei Daueranrufern (Personen, die Krisendienste bis zu zwanzigmal pro Tag beanspruchen) ist es sinnvoll, die Dauer der angebotenen Dienstleistung mit ruhiger, jedoch fester Stimme klar zu bestimmen.

BEISPIEL

DER HELFER: »Es ist jetzt mitten in der Nacht. Wie ich höre, haben Sie schon die vorangegangenen Nächte schlecht geschlafen. Da ich schon seit acht Stunden im Einsatz bin, bin auch ich müde. Um Ihnen aufmerksam zuhören zu können, werde ich die Gesprächszeit deshalb auf 15 Minuten eingrenzen. Nach zehn Minuten werde ich Sie auf die uns verbleibende Zeit aufmerksam machen.«

GEFÄHRDUNG ABSCHÄTZEN Eine Abschätzung der aktuellen Gefährdung ergibt sich aus einer komplexen Beurteilung, bei der nicht nur die persönliche psychische Verfassung des Klienten zu berücksichtigen ist, sondern auch dessen Hintergrundbelastungen und Ressourcen sowie die Qualität der eingeleiteten Zusammenarbeit zwischen ihm, seinen Angehörigen und den Helfern. Es spielt beispielsweise eine Rolle, ob jemand in labiler Verfassung noch zwei kleine Kinder zu betreuen hat. Es spielt eine Rolle, ob bei einem suizidgefährdeten Familienmitglied noch weitere Personen rund um die Uhr anwesend sind, die der Patientin vertraut sind, psychisch stabil wirken und verlässlich erscheinen.

Bei der Beurteilung der aktuellen psychosozialen Lage des Klienten ist auf der einen Seite die aktuelle Belastung zu ergründen, andererseits die jetzt zur Verfügung stehenden Ressourcen.

Es ist dabei klar auf die aktuelle Situation, auf das Hier und Jetzt zu fokussieren. Biografische Informationen sollten nicht vertieft werden. Solche Gesichtspunkte sind erst im Verlauf eines Krisengesprächs außerhalb der akuten Situation sinnvoll, um die emotionale Reaktion des Klienten besser verstehen und um intervenieren zu können, wenn das aus diesen emotionalen Reaktionen folgende Verhalten nicht mehr realitätsbezogen erscheint. In einer Notfallsituation ist dieser Aspekt jedoch nachrangig.

Bei den Ressourcen geht es um die Problembewältigungsmöglichkeiten des Klienten und seines Umfeldes. Beispiele von lösungsorientierten Fragestellungen sind: »Was hat Ihnen in der letzten Krise in einer derartigen Situation am besten geholfen?« Oder: »Was war damals vor allem hilfreich, wenn Sie Hilfe von außen brauchten?«

Von psychiatrischen Dienstleistern wird erwartet, dass sie auch eine psychopathologische Beurteilung durchführen. Grundsätzlich ist eine syndromale Beurteilung mit einer Beschreibung der gemachten Wahrnehmungen ausreichend. Es ist nicht Aufgabe eines Notfallhelfers, eine Diagnose zu stellen! Präzise Beobachtungen sind für die nachbetreuenden Helfer viel hilfreicher. Im Verlauf einer Krisenintervention ist bei anhaltenden psychischen Störungen eine diagnostische Beurteilung natürlich angezeigt. Ich verweise dafür auf die entsprechende Fachliteratur.

Eine weitere Beurteilungsdimension betrifft die Funktionsfähigkeit im Alltag und im aktuellen Lebenskontext des Klienten. Dies lässt sich am besten im Rahmen eines Notfallbesuchs herausfinden. Hierbei empfiehlt sich die Einbeziehung naher Bezugspersonen.

Gegen Schluss der Intervention (auch bei Kriseninterventionen außerhalb akuter Lagen, wenn es sinnvoll ist, das persönliche Umfeld der Klienten einzubeziehen) ist eine gemeinsame Problem- und Lösungsdefinition hilfreich. In der Notfallsituation sollte nur mit den kommunikationsfähigen und zur Zusammenarbeit bereiten Beteiligten eine derartige gemeinsame Sichtweise entwickelt werden.

INTERVENTIONEN EVALUIEREN Am Schluss des Kontakts wird die Wirkung der Interventionen evaluiert, um die aktuelle Gefährdung zu definieren, denn zur Beurteilung des Schweregrades einer Störung ist weniger der Zustand bei Gesprächsbeginn als vielmehr die Veränderbarkeit der Gefährdung während des Betreuungskontakts aussagekräftig. Was hat die Mobilisierung der Selbsthilfekompetenz, der Ressourcen des Patienten und die eingebrachte professionelle Hilfe gebracht? Deutliche Beeinflussbarkeit einer Problemlage deutet auf die Möglichkeit einer ambulanten Weiterbetreuung hin. Eine geringe oder fehlende Veränderung beziehungsweise eine sich während des Gesprächs gar verschärfende Problematik sind alarmierend. Nichtmedizinische Betreuer ziehen spätestens zu diesem Zeitpunkt einen Psychiater bei und psychiatrische Fachpersonen erwägen einen Klinikaufenthalt.

Der Schweregrad einer Störung lässt sich am ehesten an der geringen Beeinflussbarkeit einer Gefährdung während des Betreuungskontakts erkennen.

Kommunikation: zuhören und moderieren

Bei Personen, die undurchschaubar wirken oder deren Kommunikationsfähigkeit, insbesondere deren Impulskontrolle, unklar ist, ist es sinnvoll, in der Nähe der offenen Tür zu bleiben, abgewinkelt zum Klienten zu stehen und einen Abstand von mindestens zwei Metern einzuhalten. Nie unmittelbar im Türrahmen einer offenen Tür stehen, damit sich misstrauische Personen nicht in die Enge getrieben fühlen.

GESPRÄCHSERÖFFNUNG Nachdem man sich persönlich vorgestellt hat, kann man eine kleine Bemerkung zur aktuellen Gesprächssituation machen, um das Eis zu brechen: Man kann beispielsweise dafür danken, dass einem Tee angeboten wird, oder kann sich danach erkundigen, ob die betreffende Person angenehm sitzt und der Gesprächsabstand so in Ordnung ist etc.

Zu Beginn des eigentlichen Gesprächs ist zu empfehlen, mit einer allgemeinen Frage zu beginnen, um zu schauen, was der Betreffende darauf zu antworten beginnt. Falls das Gespräch unkompliziert verläuft, sollte man den Ausführungen des Klienten vorerst folgen, ohne zu unterbrechen. Sehr häufig schildern die Betroffenen spontan gleich zu Beginn des Gesprächs besonders wichtige Sachverhalte. Die Geschichte, die erzählt wird, lässt erkennen, welche Problem- und Lösungssicht die Betreffenden haben, was als wichtig und was als nebensächlich dargestellt wird. Der spontane Gesprächsverlauf gibt uns zudem die Möglichkeit, den Ausdrucksstil und die Differenziertheit des Denkens zu erfahren.

AKTIVES ZUHÖREN Sinnvoll ist eine Haltung des aktiven Zuhörens, das heißt, der Helfer gibt in eigenen Worten wieder, welche Sachverhalte er gehört hat, welche Bedeutungen diesen Sachverhalten zugeordnet werden, welche Befindlichkeit die Betroffenen mit dem aktuell Erlebten verbinden, welche Beziehungsdefinitionen und Rollenvorstellungen den Schilderungen entnommen werden können und welche Erwartungen die Sprechenden an ihre Mitmenschen und an den Helfer richten. Dies erfordert eine Aufmerksamkeit auf mehreren Ebenen. Aktiv zuzuhören ist anspruchsvoll. Der Aufwand lohnt sich jedoch. Durch diese Art der Gesprächsführung fühlen sich Menschen in Not verstanden. Wenn diese Gesprächsführung kein Vertrauen schafft, so handelt es sich häufig um Menschen mit Kommunikationsstörungen. > Kommunikationsstörungen, Seiten 106, 131

STELLUNG BEZIEHEN Sobald die Klienten beginnen, entwertende Bemerkungen über sich selbst oder andere Anwesende zu machen, wenn Paare beginnen, sich bei einem Beziehungskonflikt wechselseitig zu interpretieren oder gar zu beschimpfen, wenn Äußerungen des Helfers umgedeutet werden, dann ist es wichtig, zu intervenieren, und zwar unter Umständen auch mitten im Satz. Wenn der Helfer dies nämlich unterlässt, wird das schnell als stillschweigende Billigung gedeutet. Deshalb empfiehlt es sich, grenzüberschreitende Äußerungen sofort, wenn auch taktvoll, zu unterbrechen, um entweder persönlich Stellung zu nehmen oder nach einer präzisen Erläuterung zu fragen und alternative Formulierungen vorzuschlagen, die nicht grenzüberschreitend oder entwertend sind. Der Ausdruck heftiger Gefühle hingegen ist nicht automatisch entwertend. Es geht also nicht darum, dass »scheinheilige Ruhe« einkehren soll, sondern darum, dass Entwertendes und Kränkendes nicht das Gesprächsklima bestimmen.

BEISPIEL

DER MANN ZU SEINER PARTNERIN: »Du bist eine blöde Kuh!«

DER HELFER ZUM MANN: »Stopp! Ich anerkenne, dass Sie wütend darauf sind, dass Ihre Frau sich in den Nachbarn verliebt hat und ihn heimlich getroffen hat. Ich verstehe auch, wenn Sie dies verletzt. Ich bin jedoch nicht einverstanden, dass Sie in meiner Gegenwart Ihre Frau beschimpfen, weil ich aus Erfahrung weiß, dass Ihnen beiden dies nicht weiterhilft. Ich traue Ihnen eine andere Ausdrucksweise zu.«

DER MANN ZU SEINER PARTNERIN: »Ja, mich macht das wütend und es verletzt mich tief, was du getan hast, denn du hast mein Vertrauen missbraucht.« Der Mann kämpft mit den Tränen, die Frau wirkt betroffen.

Umgekehrt sind konstruktive Beiträge, insbesondere die Übernahme von angemessener Selbstverantwortung, und das Suchen nach Lösungen ausdrücklich anzuerkennen.

BEISPIEL

DER HELFER ZUM MANN: »Ja! Gut! Denn Sie wollen Ihre Partnerin ja nicht verletzen, sondern sie wiedergewinnen.«

UND ZUR PARTNERIN: »Wie ist das jetzt für Sie?«

DIE PARTNERIN ZUM MANN: »Ich bin froh, dass du dies so ausdrückst, denn ich hatte immer das Gefühl, dass ich dir gleichgültig bin. Ich verstehe deine Verletztheit und es tut mir leid.«

Psychische Verletzungen, Belastungen und Verluste sind zu würdigen. Durch diese Art der strukturierenden, Grenzen setzenden Gesprächshaltung fühlen sich Menschen in Krisen gedanklich sicher durch eine überfordernde Lage geführt. > Gesprächsphasen, Seiten 129, 130 ff.

MODERIEREN Vor allem in der Notfallsituation, in vermindertem Maße auch in der Krisenintervention (dort am ehesten bei Paar- und Familienkonflikten), nimmt der Helfer eine moderierende Position ein. Er ist für die Einhaltung des Settings verantwortlich, er achtet auf die Befindlichkeit der Teilnehmenden, er unterbricht Destruktives und verstärkt Konstruktives, er achtet auf den roten Gesprächsfaden und hütet minimale Gesprächsregeln:

- Für sich persönlich sprechen (das Gegenüber nicht interpretieren)!
- In angemessenem Ton sprechen (kein Schreien, kein Zynismus, keine Beschimpfung)!
- Den anderen ausreden lassen (nicht unterbrechen)!
- Sich angemessen kurzfassen (nicht gleichzeitig mehrere Themen ansprechen)!
- Sich in den Äußerungen auf die vorangegangene Äußerung des Gegenübers beziehen (nicht am Thema vorbeireden)!

Es bewährt sich die sogenannte Nulltoleranz gegenüber Abweichungen von diesen grundlegenden Regeln. Das heißt, die Helfenden intervenieren als Gesprächsmoderatoren auch mitten im Satz. Wenn sie dies das erste Mal tun, können sie diese Vorgehensweise erläutern. Je nachdem braucht es immer eine sehr aufmerksame, aktiv moderierende Haltung, und zwar allein schon um nur beim Thema zu bleiben.

Besonders anspruchsvoll sind paar- und familientherapeutische Settings. Dabei gilt, dass jede Person für konstruktive und destruktive Verhaltensweisen selbst verantwortlich ist. Insbesondere liegt die Verantwortung für Suchtverhalten, selbstdestruktives Verhalten und Gewalttätigkeit stets bei denjenigen, von denen diese Verhaltensweise ausgehen.

Fördern Sie spontanes Berichten. Würdigen Sie konstruktive Äußerungen und grenzen Sie destruktive Bemerkungen sofort ein.

Im Fokus: schützen und Neues wagen

Oberste Priorität haben alle Faktoren, die zur aktuellen Gefährdung beitragen, oder umgekehrt: die jetzt Schutz bieten. Bei der Krisenintervention stehen all jene Themen an oberster Stelle, die das psychosoziale Gleichgewicht erneut gefährden beziehungsweise dieses wieder stabilisieren können. Um die Krise als Chance zu nutzen, ist es sinnvoll, diejenigen Elemente zu identifizieren, die aktuell tatsächlich verändert werden können.

KONTAKT GEWÄHRLEISTEN An zweiter Stelle folgt alles, was dem Gesprächskontakt zum Helfer dient beziehungsweise diesen behindert. Es kann nicht automatisch davon ausgegangen werden, dass sich Klienten auf einen beraterischen Dialog einlassen. Deshalb muss bei kommunikationsfähigen Personen, sobald die akute Gefährdung beseitigt ist, alles therapiebeeinträchtigende Verhalten angesprochen werden. Dazu gehören Alkohol- und Drogenkonsum, Unpünktlichkeit bezüglich Terminvereinbarungen, manipulierendes Verhalten gegenüber der beratenden Person und fortlaufende Verletzung von Gesprächsregeln. Die Klientinnen und Klienten müssen lernen, wie sie mit den Beratern und Therapeuten umgehen sollen, sodass diese auch in der Lage sind zu helfen.

Als Nächstes braucht es eine Besprechung möglicher Rückfälle: Was können die Betreffenden tun, falls wider Erwarten eine erneute Eskalation eintritt, damit keine neue Gefährdung riskiert wird?

KRISEN SINN GEBEN Schließlich ist es wichtig, der Krise einen Sinn zu geben, damit Motivation für eine weitere konstruktive Entwicklung entstehen kann. Wenn professionelle Helfer gerufen werden, kann man davon ausgehen, dass die bisherigen Problemlösungsversuche gescheitert sind. Im Moment der fortgesetzten Krise versuchen die Betroffenen, die Probleme mit eskalierendem Einsatz mittels immer derselben Strategie doch noch zu einer Lösung zu zwingen – erfolglos. Deshalb besteht im Moment der Krise die Chance, Dinge anders anzupacken. Das ist in der Regel erst möglich, wenn sich die Betroffenen eingestehen können, dass sie auf dem bisherigen Weg gescheitert sind. Dies zeigt sich an Erschöpfung, Verzweiflung oder an einem unlösbaren Konflikt. > Lösungsstrategien, Seiten 25, 125, 143

Durch die Intervention kann wieder etwas in Bewegung gebracht werden, was völlig festgefahren erscheint. Der Klient darf sich von nicht mehr Erreichbarem verabschieden und Verluste eingestehen. Die empathische Begleitung durch eine Beraterin oder eine Therapeutin hilft bei diesem schmerzlichen Prozess.

Schließlich geht es darum, Neues zu wagen beziehungsweise früher einmal bewährte Problembewältigungsarten erneut einzusetzen.

Hilfreich ist dabei, eine lösbare Aufgabe zu definieren und zeitlich befristete Ziele zu formulieren, die innerhalb der umschriebenen Zeit (zu Beginn der Notfallintervention: bis zum Schluss dieser Intervention; bei Beginn der Krisenintervention: bis zur nächsten Konsultation) erreicht werden können. Dabei ist es notwendig, Zielalternativen zu definieren, wenn unerwartete Hindernisse auftauchen. Dadurch entsteht ein Vorgehensplan mit Aufgabendelegation und Zielformulierung.

Themen, die mit der aktuellen Gefährdung zusammenhängen, haben Priorität.

Maßnahmen: Mittel der Entlastung und Bewältigung

Alle Maßnahmen, die getroffen werden müssen, brauchen eine Erläuterung. Dies ist insbesondere für benommene, verwirrte und wahnhafte Klientinnen und Klienten sinnvoll. Personen, die sich im Wahnzustand befinden, können sich sehr wohl erinnern, was sie im Moment einer turbulenten Zwangseinweisung erlebt haben. Deshalb ist es notwendig, dass wir die Anwendung von Zwangsmitteln mit einem taktvollen Kommentar begleiten.

Vernetzung

Eine wichtige Maßnahme besteht im Vernetzen mit bereits installierten Helfern, aber auch in der Vernetzung mit neuen Helfern und mit Angehörigen. Das Beziehungsnetz ist in Krisensituationen, die einer professionellen Intervention bedürfen, häufig lückenhaft oder überfordert. In Notfallsituationen bewährt sich, dass die wichtigen Bezugspersonen direkt an den Notfallort kommen, damit gleich dort Absprachen getroffen werden können. In der Krisensituation, außerhalb einer akuten Gefahr, sollten Drittpersonen dann beigezogen werden, wenn die Klienten in sozialen, jedoch auch in aktuell bedeutsamen organisatorischen, finanziellen oder beruflichen Abhängigkeitsverhältnissen stehen. So ist es sinnvoll, bei jungen Erwachsenen, die noch zu Hause wohnen, Eltern einzubeziehen. Nicht sinnvoll ist es jedoch, diese einzubeziehen, wenn die jungen Erwachsenen bereits allein wohnen und ihren Alltag eigenständig gestalten wollen.

Angehörige und andere Helferinnen und Helfer, die bereits einen bestehenden Kontakt zu den Klienten haben, sind in der Krise mitbetroffen. Mit ihnen ist die Abklärung ihrer aktuellen Belastbarkeit erforderlich, um ihnen nicht unlösbare Aufgaben aufzubürden. Es bewährt sich, die Betreuungsaufgaben und Betreuungsprioritäten präzise beschreiben zu lassen und ausdrücklich zu fragen, wieweit sich die Betreffenden bis zum nächsten vereinbarten Kontakt in der Lage fühlen, diese Aufgabe und die damit verbundene Verantwortung zu übernehmen. In der Regel erhält man auf diese klaren Fragen auch klare Antworten.

Psychohygiene

Im Weiteren braucht es neben einer minimalen Vernetzung die sofortige Wiederherstellung eines geordneten Tagesablaufs mit Schlafen, Essen, Trinken, Entspannung und Aktivität, Kontakt und Rückzugsmöglichkeit (»Tagesstruktur«). Viele Menschen in einer schweren Krise essen kaum, trinken zu wenig, schlafen schlecht, arbeiten zu viel oder aber lassen minimale Aktivität vermissen, weil sie sich den ganzen Tag ins Bett legen. Sie ziehen sich nicht mehr richtig an, vernachlässigen sich auch körperlich und verlassen ihre Wohnung nicht mehr. Dadurch entsteht ein Teufelskreis, der nicht zuletzt durch die oben erwähnte »Tee-Intervention« unterbrochen werden kann.

Helferinnen und Helfer sollten einfache Aktivitäten unterstützen, von denen die Klienten und ihre Angehörigen wissen, dass sie ihnen guttun: zum Beispiel ein warmes Bad nehmen, einen Spaziergang mit dem Hund machen, Musik hören. Belastende Gedanken können notiert und bei einem späteren Betreuungskontakt besprochen werden.

Entlastung

Wichtig ist die Vermeidung von überfordernden Aufgaben und zermürbenden Konflikten. »Heiße Themen« werden deshalb ausdrücklich auf einen näher bestimmten späteren Zeitpunkt verschoben. Die Abgrenzung gegenüber belastenden Personenkontakten wird unterstützt.

BEISPIEL

Ein Paar meldet sich bei einem Therapeuten, da es wegen einer akuten Krise eine Gesprächsbegleitung braucht. Im Erstgespräch kommt es zu einem tumultartigen Konflikt. Die Ehefrau, verzweifelt und wütend, berichtet, dass der Mann ihr am Vorabend berichtet habe, seit fünf Jahren eine Frau zu kennen, zu der er nun ziehen wolle. Nachdem der Ehemann seiner Frau diese Situation eröffnet hatte, war es zu einer Rangelei und schließlich zu Tätlichkeiten gekommen, in deren Folge die zwei Kinder des Paares zu Nachbarn flüchteten.

Aufgebracht bittet die Frau den Paartherapeuten, den Mann zum Reden zu bringen, um von ihm zu erfahren, was eigentlich der Grund sei, weshalb er sie verlassen wolle, was er denn an diesem »Miststück« attraktiver finde als an ihr.

Der Therapeut antwortet: »Ich kann Ihre Wut und Ihre Verzweiflung gut nachvollziehen. Ich kann mir auch vorstellen, weshalb Sie diese Frage jetzt beschäftigt. Ich bin jedoch angesichts der kritischen Situation zwischen Ihnen nicht in der Lage, ein Gespräch zu diesem Thema zu begleiten, sodass daraus etwas Konstruktives entstehen könnte. Was ich tun kann, ist, mit Ihnen darüber zu sprechen, wer heute Abend wo übernachtet (und zwar nicht bei einer Person, durch die erneut Öl ins Feuer kommt), sodass die Kinder nicht mehr Angst haben müssen und sie beide in Sicherheit sind. Vorrangig ist jetzt, dass kein weiterer Schaden entsteht!«

Sachhilfe ist ein weiteres wichtiges und entlastendes Element. Dazu gehören Arztzeugnisse beziehungsweise ärztliche Atteste. So ist es bei Menschen, die im Zusammenhang mit einer überfordernden beruflichen Aufgabe ausgebrannt sind, sinnvoll, sofort eine Arbeitspause einzulegen. Ihr »Job« besteht dann in der Selbstfürsorge, um wieder normal belastbar zu werden. Je nachdem sind auch sozialarbeiterische Aktivitäten wichtig: Hilfe bei Behördenkontakten, bei der Regelung finanzieller Probleme, Begleitung zu einem heiklen Arzttermin, Unterstützung bei der Wohnungssuche etc.

Medikamente

Medikamente spielen – außer bei psychoseartigen Zustandsbildern mit Wahn und Erregung – in der Notfall- und Krisenintervention keine tragende, sondern eine unterstützende Rolle. Es wäre geradezu zynisch, auf Erschöpfung, Verzweiflung, Wut und Ärger bloß mit dem Aufziehen einer Spritze zu reagieren. Doch Menschen mit einer psychotischen Erkrankung erleiden einen Rückfall meist im Zusammenhang mit einer Medikamentenreduktion. Dann haben die Wiederaufnahme der Medikation und die Installation einer verlässlichen Medikamentenabgabe durch Drittpersonen höchste Priorität. Es ist nicht möglich, eine sich entwickelnde Wahnstörung mit kommunikativen Mitteln zu »behandeln«.

Medikamente können eine wichtige Rolle spielen zur Unterbrechung von längeren Phasen von Schlaflosigkeit. Hier ist es sinnvoll, nur einzelne Medikamentendosen, etwa ein kurz wirksames Benzodiazepin, abzugeben (siehe Angaben in der Fachliteratur). Gelegentlich braucht es ein Beruhigungsmittel für den Transport in eine Klinik. Aber: Klinikärzte sind froh, wenn Patienten vor einem Klinikeintritt keine Medikamente erhalten, damit ihr Zustand bei Eintritt diagnostisch besser beurteilt werden kann.

Time-out

Bei Menschen mit schwierigem Verhalten, mit Persönlichkeitsstörungen oder in verstrickten Beziehungen kann eine vorübergehende befristete Unterbringung an einem anderen Aufenthaltsort notwendig werden. In einem solchen Time-out erleben sowohl die Klienten als auch die Betreuenden eine Beziehungspause, die in eskalierten Situationen eine Voraussetzung dafür ist, wieder eine vertrauensvolle Zusammenarbeit zu möglichen. Bei Menschen mit systemsprengendem Verhalten ist diese Maßnahme von vornherein als Möglichkeit einzuplanen.

Problematische Beziehungsmuster können bevorzugt in einem spezifischen Kontext auftreten. Der vorübergehende Wechsel des Aufenthaltsortes (»Tapetenwechsel«) kann derartige Konfliktmuster unterbrechen helfen.

BEISPIEL

Ein Übergangswohnheim erhält eine Anfrage der psychiatrischen Klinik, ob eine Frau mit selbstverletzendem Verhalten und immer wieder auftretender Suizidalität zur Nachbetreuung überwiesen werden könne. Die Heimleitung ist einverstanden, unter der Voraussetzung, dass die Klientin bei Betreuungsbeginn eine Vereinbarung unterzeichnet, die mit der Klinik abgesprochen ist.

Die Vereinbarung enthält die Bedingung, dass die Klientin in eine psychiatrische Behandlung gehen und verordnete Medikamente einnehmen muss, dass im Notfall auch ohne Rücksprache mit der Klientin vom Übergangswohnheim mit Ärzten und insbesonde-

re dem behandelnden Psychiater Kontakt aufgenommen werden kann, dass bei erneut auftretendem selbstverletzendem Verhalten oder Suiziddrohungen sofort eine stationäre Krisenintervention in der psychiatrischen Klinik eingeleitet werden kann. Letzteres ist nötig, um die Klientin dort in der Größenordnung von einer Woche unterbringen zu können, bis sie wieder genügend stabil ist, bevor sie ins Übergangsheim zurückkehren kann. Die Heimleitung geht realistisch davon aus, dass mit erneuten Rückfällen zu rechnen ist.
Die Vereinbarung bewährt sich, Rückfälle treten immer seltener auf, bis die Klientin in der Lage ist, bereits vorbeugend in die Klinik zu gehen, ohne dass sie sich selbst verletzt. Nach acht Monaten gelingt der Übertritt ins betreute Einzelwohnen.

Maßnahmen, die Druck reduzieren, sollten sofort eingeleitet werden. Beziehen Sie Angehörige und sonstige engagierte Helfer ein und respektieren Sie die verbliebene Entscheidungskompetenz des Klienten, der ab sofort seinen Alltag entsprechend neu gestaltet.

Vorgehen bei akuter Aggression und Gewalt

Selbst- und Fremdgefährdung einschätzen

Je nach Erscheinungsbild ergeben sich Hinweise auf unterschiedliche Störungsbilder (»Schlüsselsyndrome«) und damit auch auf mögliche, ganz verschiedene Gefahrenlagen (siehe Abbildung 7).

ABBILDUNG 7

Schlüsselsyndrom, Diagnosegruppe und potenzielle Gefahr

Schlüsselsyndrom	Komisch, wahnhaft, unheimlich Psychose?	Gefühlslage: entweder dauernd betrübt oder euphorisch Affektive Störung?	Schwieriger Mensch, dem man eher aus dem Weg geht Persönlichkeitsstörung?	Symptom wie Angst, Zwang, Unsicherheit Neurose?	Rausch oder Entzug Drogen- oder Alkoholeinwirkung
Gefahr					
Aggression	ja	eher nein	ja	evtl. ja	ja
Suizidal	ja	ja	ja	evtl. ja	ja
Wahn	ja	evtl. ja	nein	nein	ja

Es gibt Kriterien zur Erkennung von Risikopersonen hinsichtlich Suizid- und Gewaltgefahr. Deshalb ist es wichtig, den Klienten und dessen Angehörige zu befragen, deren Einschätzung kennenzulernen, sich zu informieren und sorgfältig zuzuhören, was einem aktuellen Anlass vorausgegangen ist.

ABBILDUNG 8

Risikopersonen, die besondere Achtsamkeit erfordern (nach DyRiAS®: Dynamisches Risiko Analyse System)

Hohes Risiko
Selbst- und fremdgefährdendes Verhalten beziehungsweise Androhung einer entsprechenden Handlung
Suchtmittelabsturz
Kein soziales Netz
Geringe Selbstkompetenz (Sprache, Bildung, Sozialisation)
Akuter Beziehungskonflikt mit naher Bezugsperson (vor allem uneindeutige Trennungen)
Subjektive Aussichtslosigkeit (auch entsprechende Wahnvorstellung!)
Erhöhte psychische Verletzlichkeit (Traumatisierung, krankhaftes Misstrauen, hohe Kränkbarkeit)
Vorgeschichte von Vorfällen mit Selbst- und Fremdgefährdung
Kommunikativ nicht erreichbar
Sehr hohes Risiko
Selbst- oder Fremdgefährdungsabsicht mit subjektiver Alternativlosigkeit (der Klient ist fokussiert auf Gewalt: »Ich habe keine andere Möglichkeit, mir Geltung zu verschaffen.«)
Befähigung zur destruktiven Handlung (der Klient ist technisch in der Lage, Gewalt anzuwenden, und hat Aktion geplant: »Ich weiß genau, wie, und hab es vorbereitet.«)
Rechtfertigung der Handlung beziehungsweise der Schädigung des Opfers (der Klient heißt die Schädigung durch Gewalt gut: »X verdient es!«)
Akzeptanz der Handlungskonsequenz (der Klient nimmt die Folgen einer Tat auf sich: »Ich weiß, dass ich ins Gefängnis komme; das ist mir gleich.«)

Sehr wichtig ist es, die besonders belastet wirkenden Personen direkt nach Suizid- und Gewaltgedanken zu befragen. Andeutungen ist sofort nachzugehen. Drohungen sind wörtlich zu nehmen, bis sich die Betreffenden glaubhaft wieder davon distanziert haben.

Eine weitere Möglichkeit der Gefahreneinschätzung ergibt sich aus der Beobachtung der Interaktion mit dem Klienten. Bei aggressiven beziehungsweise suizidalen Menschen, die im Kontakt nicht mehr erreichbar sind, ist erhöhte Wachsamkeit angezeigt. Letztlich ist die innere Wahrnehmung des Helfers, dessen Intuition, entscheidend: Wie groß ist die Besorgnis, die ein bestimmtes Verhalten bei mir und anderen auslöst?

Fehlende Erreichbarkeit in der Kommunikation ist ein Zeichen erhöhter Gefährdung. Drohungen sind stets wörtlich zu nehmen, unabhängig davon, ob es »provokativ«, »wahnhaft« oder »theatralisch« wirkt.

Vorgehen bei Suizidalität

Potenziell suizidal ist, wer von Suizid spricht, Suizidgedanken erwähnt oder aber erwägt, sich »etwas anzutun«. Nachdem die Gefährdung erkannt ist, wird dies als wichtigstes Thema definiert und sorgfältig abgeklärt. Jeder Verdacht auf Suizidgedanken muss angesprochen werden. Niemand kommt erst dadurch auf die Idee, sich das Leben zu nehmen, wenn danach gefragt wird. Im Gegenteil: Diese Frage ist für die meisten suizidalen Personen geradezu eine Erlösung, endlich können sie eine schamhaft verborgene Absicht eingestehen.

Äußerungen, die den Verdacht auf Suizidgedanken auslösen, immer ansprechen! Eine Suiziddrohung stets wörtlich nehmen!

Ein Kunstfehler ist es, Gewalt- und Suiziddrohungen nicht ernst zu nehmen, solange im Rahmen eines Betreuungskontakts die ursprüngliche Drohung nicht ausdrücklich relativiert ist. Auch dunkle Andeutungen sind sofort zu hinterfragen.

BEISPIEL

Der Mitarbeiter einer Beratungsstelle für Alkoholkranke singt in einem Chor und freut sich auf ein Konzert, das an jenem Abend stattfindet. Sein letzter Klient ist ein Mann, der sich in einer beruflich schwierigen Situation befindet. Während des Gesprächs macht er diffuse Andeutungen über den Sinn des Lebens. Der Berater wird hellhörig und fragt präzise nach, erfährt dabei, dass sein Klient, ein Sportschütze, den Plan erwägt, sich mit seiner Waffe, die er zu Hause aufbewahrt, zu erschießen. Der Berater sieht auf seine Uhr und merkt, dass es bis zum Konzert knapp werden könnte. Er gibt dieser akuten Situation jedoch absolute Priorität, meldet sich beim Chor ab und kann seinen Klienten schließlich dazu bewegen, dass sein Bruder in seine Wohnung geht und dort die Waffe und die Munition in Gewahrsam nimmt. Die Frau des Klienten wird alarmiert, sie holt ihren Mann im Sprechzimmer des Beraters ab und wird ihn bis zur nächsten Konsultation nicht aus den Augen lassen.

Der Klient kann sich von seiner Suizidabsicht distanzieren und wirkt nun doch vertragsfähig. Im letzten Moment gelingt es dem Berater noch, seinen Platz im Chor dennoch einzunehmen, bevor das Konzert beginnt.

Die Emotionalität depressiver Menschen ist geprägt von Schmerz durch Mangel, Verlust, Gekränktheit oder subjektiver Minderwertigkeit. In diesem Erlebnis bildet sich meist ein Teil der Realität ab, aus der allerdings verallgemeinernde Schlussfolgerungen gezogen werden, die den Depressiven die Kraft rauben, Belastungen und Entbehrungen gedanklich und emotionell zu überstehen. Schließlich verändert sich das leibseelische Gleichgewicht erheblich (Schlaflosigkeit, Essprobleme!), sodass es nur noch schwer möglich sein kann, diesen Teufelskreis aus Pessimismus und Erschöpfung im Gespräch zu unterbrechen.

Wie weit dieser destruktive Gedankenprozess fortgeschritten ist, lässt sich während einer Gesprächsintervention erkennen. Dies stellt in gewisser Weise eine experimentelle Intervention dar, um die psychologische Beeinflussbarkeit des Systems (der Klient in seinem Beziehungsgefüge) zu überprüfen.

KOMMUNIKATION Der Berater gibt Raum für spontane Äußerungen des Verzweifelten, um dessen emotionale Lage erkennen zu können und zugleich zu zeigen, dass Platz ist für meist lange zurückgehaltene oder anderen Personen gegenüber schamhaft verborgene ungute Gefühle. Dies kann – muss aber nicht zwangsläufig – bereits eine wesentliche emotionale Entlastung darstellen. Der Klient fühlt sich nicht mehr einsam und unverstanden. Durch das Benennen des vorher diffus empfundenen Schmerzes wird das erlebte Übel begrifflich eingegrenzt. > Aktives Zuhören, Seiten 42, 67, 94, 120 f., 131

Im weiteren Verlauf des Gesprächs beginnt der Berater Stellung zu nehmen, um erlebtes Leid anzuerkennen und die Tendenz zur unangemessenen Selbstbeschuldigung oder Selbstbestrafung vorsichtig einzugrenzen. Entsprechend versucht der Berater, schon die kleinsten konstruktiven gedanklichen Ansätze zu unterstützen, besonders wenn diese Ansätze Elemente von multidimensionalem, variablem, relativierendem und nicht wertendem, auf einzelne Sachverhalte bezogenem und flexiblem Denken erkennen lassen.

BEISPIEL

KLIENT: »Ich bringe mich um! Ich habe genug ... will einfach Ruhe!«

BERATER: »Sie haben sehr große Ansprüche an sich selbst. Sich mal von diesen zu distanzieren, betrachte ich als einen konstruktiven Gedanken. Welche anderen Möglichkeiten haben Sie, sich eine Pause, eine sofortige Entlastung zu gönnen, ohne dass Sie sich gleich umbringen müssen?«

Zudem werden unangemessene Bewertungen (überzogene Selbstansprüche!) behutsam infrage gestellt.

BEISPIEL

BERATER ZUM VERZWEIFELTEN: »Sie schildern, dass Sie seit drei Tagen zunehmend in Verzweiflung geraten, und nun beschuldigen Sie sich. Darf ich Sie etwas fragen?"
Der Klient nickt.
»Wie war es Ihnen vor diesen drei Tagen möglich, Ihren Anteil an der Verantwortung besser einzugrenzen?«
Der Klient gibt eine Antwort, bei der er staunend realisiert, dass er denselben Sachverhalt vor drei Tagen anders sah.

Berater können selbstentwertende Äußerungen des Klienten aber auch konfrontierend beantworten. Im folgenden Beispiel nimmt der Berater Stellung und greift konstruktive Ansätze sofort auf:

BEISPIEL

KLIENT: »Ich sehe überhaupt im Ganzen keinen Sinn mehr, ich bin an allem schuld! Ich bin eine Schande für meine Kinder!«
BERATER: »Was glauben Sie, wie würden die Kinder darauf reagieren, wenn Sie sich das Leben nehmen?«
KLIENT: »Die ganze Familie wäre erleichtert, wenn sie mich los wäre!«
BERATER: »Einspruch! Ein Suizid ist keine Privatangelegenheit! Aus großer Erfahrung weiß ich, dass ein Suizid eines Elternteils zu

den schlimmsten Erfahrungen gehört, die Kinder in ihrem Leben machen. Hier können Sie tatsächlich eine wichtige Verantwortung tragen, wenn Ihre Kinder lernen, dass schwere Sorgen und auch Verzweiflung zum Leben gehören und Sie sich bemühen, damit fertig zu werden. So möchte ich Ihren Gedanken aufgreifen, dass auch Ihre Angehörigen Erholung brauchen. Haben Sie eine Idee, zu wem außerhalb der Familie Sie im Moment gehen könnten, zu dem Sie Vertrauen haben und der belastbar ist? Das würde Ihnen helfen und Ihre Angehörigen beruhigen.«

VERNETZUNG Die Vernetzung mit verlässlichen Drittpersonen ist der Königsweg aus der Suizidalität.

Suizidale Personen nie allein lassen!

Drittpersonen sollten in die Intervention einbezogen werden. Mit ihnen gemeinsam werden die Tagesstruktur bis zum nächsten gemeinsamen Termin und sofortige Entlastungen besprochen. In der Regel sollte kein längerer Zeitabstand als 24 Stunden vereinbart werden. Die getroffenen Maßnahmen sollen präzise umschrieben und befristet werden, dabei wieder ressourcenorientiert vorgehen, das heißt den Patienten bei notwendigen Entscheidungen mitbeschließen lassen. > Entlastungen, Seite 72

BEISPIEL

DER BERATER: »Was würde Ihnen in dieser Situation am meisten helfen? Aus was würde das konkret bestehen? Was könnten Sie selbst in den nächsten 24 Stunden dazu beitragen? Was könnten Ihre Angehörigen und was könnten wir Helfer tun?«

Bei der Planung bevorstehender Wochenenden kann der Berater behutsam eine Zukunftsperspektive einführen und zum Beispiel die

Frage stellen: »Was werden Sie mir am Montag erzählen, was Sie am Wochenende gemacht haben werden?«

VEREINBARUNGEN Am Schluss der Intervention wird eine Vereinbarung geschlossen, die auch schriftlich festgehalten werden kann (Non-Suizid-Vertrag). Die Vereinbarung umfasst die aktuelle Vernetzung mit verlässlichen Bezugspersonen, psychohygienische Maßnahmen (Belastungsreduktion, Schlafen, Essen, Ruhe, Aktivität, Kontakt), Rückfallprophylaxe und die Erreichbarkeit verlässlicher Bezugspersonen bei einer erneuten kritischen Zuspitzung der Lage. Am Schluss kann die Frage gestellt werden: »Was ist jetzt das Schlimmste, das in der Zeit bis zu unserem nächsten vereinbarten Kontakt geschehen könnte?« Mit dieser Frage kann die gedankliche Wirksamkeit der bisherigen Intervention überprüft werden.

SINN DEFINIEREN Sobald die Suizidalität nicht mehr besteht und das seelische und soziale Gleichgewicht wiederhergestellt ist, lassen sich die Erkenntnisse und Errungenschaften der inzwischen zur Krisenintervention gewordenen Betreuung vertiefen und festigen: Die Krise kann als sinnhaftes Schlüsselerlebnis genutzt werden.

Im Moment der Suizidalität werden wichtige Belastungsgrößen im Leben des Klienten erkennbar. Zugleich wird die verletzlichste Stelle im seelischen Gefüge deutlich. Im Weiteren lässt sich meist erkennen, welche Problemlösungen aus nachvollziehbaren Befürchtungen vermieden wurden: Konflikte wurden nicht ausgetragen, weil entsprechende Konfliktlösungsmuster unvertraut sind; oder unabänderliche Tatsachen wurden nicht akzeptiert aus Scheu vor unbekannten Konsequenzen einer bisher noch nie eingenommenen inneren Haltung. Dies kann außerhalb der akuten Situation dem Klienten schrittweise aufgezeigt werden, sodass ihm sein eigenes Verhalten nicht als »gestört«, sondern als »einfühlbar und verständlich« erscheint.

EINÜBEN Das Neue wird in der veränderten Lebenspraxis erprobt: Wenn sich beispielsweise jemand aus großer Einsamkeit umbringen wollte: Was hat er bereits versucht, um in Kontakt zu anderen Menschen zu kommen? Und vor was hat er sich bisher gescheut? Zugleich erkennt der Betreffende seine Möglichkeit, sich für das »bekannte Unglück« oder das mit einem Risiko behaftete »unbekannte Glück« zu entscheiden. Hier können sich kleine »Hausaufgaben« bewähren, die mit dem Klienten entworfen werden: Wie kann die im Gespräch gewonnene Erkenntnis in einem kleinen, konkret definierten Handlungsschritt umgesetzt werden, damit neue Erfahrungen gesammelt werden? Was wird sich dabei bewähren? Welche Hindernisse tauchen dabei auf (was auch zu verstehen hilft, weshalb diese Neuerungen nicht schon vorher umgesetzt wurden)?

Wie kann man mit einem Rückfall in neue Verzweiflung umgehen? Helfende sollten angemessen gelassen bleiben. Viele Klientinnen und Klienten sind erleichtert, wenn sie darauf hingewiesen werden, dass es sich meist um eine kurze »Entwicklungskrise« handelt.

Suizidalität deutet auf einen Angelpunkt in der Lebensproblematik. Unterstützen Sie den Klienten, diese Herausforderung anzugehen – sie ist eine Chance.

Vorgehen bei Drohung und Gewalt

Eine Gewaltandrohung ist so ernst zu nehmen wie eine Suizidandrohung, nämlich wörtlich. Eine Verletzung wichtiger Umgangsregeln gilt als Vorstufe einer Gewaltdrohung. Schauen Sie hier nicht einfach weg! Die meisten Opfer oder ihre Angehörigen hatten vor den späteren Tätern schon vorher Angst. Achten Sie deshalb als Helfer auf Ihre eigenen Angstgefühle! Eine angstfreie, das heißt sichere Situation für den Helfer zu schaffen ist wesentliche Voraussetzung zur wirksamen Deeskalation. Viele Helferinnen und Helfer bagatellisieren eine Gefahr trotz eindeutiger Anzeichen (Waffe, vorangegangene Gewalttätigkeit etc.). Nehmen Sie die Hinweise ernst!

Drohungen sind immer wörtlich zu verstehen.

EIGENE ANGST Helfende sollten während der kritischen Zuspitzung davon ausgehen, dass ihr Angstgefühl sie vor echten Gefahren warnt. Angst ist erst einmal ein normales Gefühl. Angst zu haben ist nicht unprofessionell.

Die Abwendung von Gewalt spielt in der Krisenintervention eine große Rolle, deshalb ist es wichtig, durch Verminderung von Stimulation und Komplexität Stress zu reduzieren. Damit werden die unmittelbaren Anliegen der an einem Konflikt beteiligten Personen ernst genommen. Mit einer lösungsorientierten Betrachtungsweise wird vom Problem auf die Situation im Hier und Jetzt und damit auf konkret Umsetzbares fokussiert, was bei belastungsbedingt erregten Menschen sehr hilfreich ist. Mittels strukturierender Moderation des Kontakts durch den Leiter der Intervention wird Übersicht geschaffen und es werden Prioritäten gesetzt.

Gewaltbereite Menschen brauchen eine einfache, klare, authentische und vom ganzen Helfersystem getragene Botschaft.

Durch eine gelassene Vorgehensweise und zugleich kurze Gesprächszeit soll sofort eine wirksame Entlastung beziehungsweise Reizreduktion geschaffen werden. Jede nähere Besprechung eines Konflikts ist auf einen Zeitpunkt zu verschieben, in dem die erregten Beteiligten wieder genügend gelassen sind. Eine medikamentöse Unterstützung ist je nach Syndrom sinnvoll. Jeder Interventionsschritt sollte evaluiert werden. Vorgehensweisen, die zu Spannungsreduktion führen, werden weiterverfolgt. Falls während einer Intervention die Spannung wider Erwarten steigt, wird das Interventionsziel sofort vereinfacht (Entlastung von Patient und Mitarbeitern) und die Strategie modifiziert.

ABSTAND HALTEN Ich möchte an dieser Stelle noch einmal die folgenden Regeln wiederholen: Halten Sie Distanz und gewähren Sie Distanz! Gehen Sie insbesondere nie näher als zwei Armlängen auf einen unbekannten oder einen gespannt wirkenden Klienten zu. Bleiben Sie in der Nähe der offenen Tür. Überlegen Sie sich einen Fluchtweg. Bleiben Sie abgewinkelt stehen. Schauen Sie einer verwirrt oder psychotisch wirkenden, angstvoll oder wütend gespannten Person nicht in die Augen. Wagen Sie, sich zurückzuziehen, wenn Sie sich gefährdet fühlen. Erlauben Sie auch dem Klienten, sich zurückzuziehen. Schneiden Sie nie den Fluchtweg ab! Bedrängen Sie einen Menschen auch verbal nicht, wenn er sich verfolgt fühlt. Berühren Sie nie einen angespannt wirkenden Menschen (auch kein Begrüßungshändedruck). Ziehen Sie sich unbedingt ruhig zurück, wenn Waffen herumliegen oder Sie gar damit bedroht werden! Nehmen Sie eine Waffe nie persönlich entgegen, sondern lassen Sie sie auf einen entfernten Tisch oder den Boden legen.

Organisieren Sie in Gewaltsituationen unbedingt Unterstützung und informieren Sie Ihre Vorgesetzten!

ÜBERMACHT ORGANISIEREN Menschen mit krankheitsbedingter Gewaltbereitschaft kann man nicht allein mit Argumenten und Appellen Grenzen setzen. Hier ist physische Übermacht notwendig, um von vornherein das klare Signal zu setzen, dass mit Gewalttätigkeit keine Ziele durchgesetzt werden können. Das bedeutet im Notfall das gemeinsame Auftreten mit einer eindeutigen Übermacht: Bei bedrohlich wirkenden Klienten sollten Helfer nie allein in deren Territorium

(Zimmer, Nahbereich im Aufenthaltsraum) gehen, sondern einen Kollegen oder gar Vorgesetzten mitnehmen.

Es ist ratsam, sich nie ohne wirksamen Schutz auf gefährliche Situationen einzulassen! Im Zweifelsfall lieber mit zu viel als mit zu wenig Unterstützung vorgehen!

Auch der Schutz Dritter ist zu gewährleisten. Es sind die vertrauten Bezugspersonen, die besonders gefährdet sind. Die meisten Gewaltvorfälle geschehen gegenüber persönlich nahestehenden Menschen, viel seltener gegenüber Fremden.

POLIZEIEINSÄTZE Im Zweifelsfall sollten Helferinnen und Helfer die Polizei hinzuholen, insbesondere bei schweren Drohungen (das sind diejenigen, die Angst machen) oder wenn sie eine Maßnahme durchsetzen wollen, die eventuell auf physische Gegenwehr stoßen könnte. Die Polizei kann sich erst wieder zurückziehen, wenn nicht nur eine verbale Zusicherung des Klienten vorliegt, sondern wenn zusätzliche Sicherheit durch institutionelle Maßnahmen (Verstärkung des Personals etc.) geschaffen ist. Helfer sollten sich ausdrücklich bei der Polizei für den Einsatz bedanken. Nach schweren Drohungen unter Polizeischutz sind unbedingt weitergehende Maßnahmen einzuleiten: Anzeige veranlassen, polizeiliche Wegführung, Hausverbot, Einweisung in eine Klinik etc.

Die physische Übermacht ist Voraussetzung dafür, dass ein Notfalleinsatz sicher und ohne Trick und verletzende Wucht erfolgen kann. Der Einsatz dieser Vorsichts- oder Schutzmaßnahmen zeigt den Klientinnen und Klienten, dass sie mit ihrem drohenden Gebaren ernst genommen werden. Und: Es ist nicht unser Auftrag, unser Leben und unsere körperliche sowie seelische Unversehrtheit wissentlich aufs Spiel zu setzen. Deshalb sollte man die Polizei lieber zehnmal zu viel als einmal zu wenig beiziehen. Der Aufwand nach einem schweren

Gewaltvorfall ist um ein Vielfaches höher als der Aufwand systematischer Vorsichtsmaßnahmen; ganz abgesehen vom emotionalen Schaden, den ein Gewaltvorfall für alle Betroffenen bewirken kann. > Kooperation mit der Polizei, Seiten 57, 108, 111, 152

Erst sobald eine eindeutige Übermacht organisiert ist, werden Grenzen und Spielregeln durchgesetzt. Derjenige, der die Intervention leitet, koordiniert die verschiedenen Einsatzkräfte und hält Kontakt mit den direkt Betroffenen. Auch bei psychotischen Patienten wirkt der Einsatz von sichtbar überlegenen Kräften häufig sofort deeskalierend.

Sicherheit durch Übermacht ist bei Gewaltgefahr eine notwendige Voraussetzung zur Intervention!

BEZIEHUNG SCHAFFEN Damit die Wirkung einer Intervention anhält, ist es notwendig, eine Beziehung zu den Betroffenen herzustellen und aufrechtzuhalten. Hier sind die Mitarbeiter der Institution und deren Kompetenz in der psychotherapeutisch-betreuerischen Beziehungspflege besonders gefragt. Die Methoden der Beziehungsgestaltung bestehen darin, auf geduldige Weise Kontakt aufzunehmen und den Kreis der meist ineinander verklammerten Personen aufzubrechen, indem neutrale Drittpersonen einbezogen werden.

Da Gewalttätigkeit meist die Endstrecke einer Beziehungszerrüttung darstellt, sind die Verknüpfungen zu Nachbarn, Freunden, Angehörigen sowie anderen Betreuern häufig abgerissen. Hier gilt es, die konstruktiven alten Bezüge wiederherzustellen und neue Verbindungen zu schaffen. Dies erfordert eine ruhige, feste und damit konfrontationsbereite und begrenzt anteilnehmende Haltung, um eine Kultur von Verbindlichkeit und Respekt zu pflegen, um Grenzen zu markieren und um konstruktiv genutzte Spielräume anzuerkennen. Wenn die Beziehungsaufnahme gelingt, geht davon die beste Langzeitwirkung hinsichtlich der Gewaltprävention aus.

Im Verlauf der Intervention wird versucht, soweit möglich mit den Mitteln des Gesprächs und soweit nötig mit Machtmitteln, deeskalierend zu wirken. Je fortgeschrittener die Eskalation, desto eher muss gehandelt werden und desto weniger wird verhandelt. Zu viel sprechen kann die Spannung erhöhen. Doch auch während des Handelns wird stetig erläutert, was geschieht und warum.

INTERVENTIONSSTIL Sobald Helfende in Sicherheit sind, gilt: Vermindern Sie Ihr eigenes Erregungsniveau und bleiben Sie respektvoll auf Distanz. Vermeiden Sie Anbrüllen und Beschimpfen sowie alle übrigen Arten der Provokation, der Reizüberflutung oder zu hoher Komplexität. Reden Sie also eher zu leise als zu laut – bleiben Sie jedoch mit Ihrer Aussage eindeutig und mit der Stimme bestimmt. Sprechen Sie in einfachen, knappen Sätzen. Beziehen Sie sich auf das Aktuelle und Konkrete sowie auf die *Handlungen* der betreffenden Person und nicht auf die Person selbst. Vermeiden Sie Verallgemeinerungen und Entwertungen (»Sie sind immer so ...«), beginnen Sie nicht, jemanden zu duzen, den Sie sonst mit »Sie« ansprechen.

Nehmen Sie Ihr Gegenüber wörtlich, interpretieren Sie nicht. Vermeiden Sie psychologisierende Äußerungen oder gar Gedankenlesen (»Ich weiß genau, was in Ihnen vorgeht«) und deuten Sie Aussagen nicht einfach um. Vermeiden Sie, den Patienten verbal in die Ecke zu drängen. Stellen Sie keine bohrenden Fragen, werden Sie nicht penetrant. Nicht trickreich zustimmen, wenn es nicht ehrlich ist, jedoch auch nicht widersprechen (»Das stimmt nicht«, »Da bin ich dagegen«, »Da kommen Sie nicht raus«), sondern sagen Sie beispielsweise: »Hier haben Sie offenbar diese Meinung; meine Haltung dazu ist ...«

Auf jeden Fall gilt, im Kontakt zu bleiben: eigene Handlungen kurz erklären, Gesprächspausen nicht zu lange andauern lassen, ungewöhnliche – auch averbale – Äußerungen des Klienten und düstere Andeutungen taktvoll ansprechen. Bei festgefahrenen Situationen ablenken: eine Zigarette oder einen Becher Mineralwasser anbieten, Thema wechseln. Allenfalls eher Belangloses ansprechen. Gönnen Sie sich eine kurze Verschnaufpause, wenn Sie zu erregt sind. Atmen Sie tief durch. Nehmen Sie innerlich Distanz (stellen Sie sich vor, Sie sehen die erlebte Szene auf dem TV-Bildschirm), sprechen Sie zu jemand anderem.

Schutz – in erster Linie der Selbstschutz des Helfers – hat Vorrang vor Durchsetzung von Hausregeln. Durchsetzung von Hausregeln hat Vorrang vor Betreuung. Betreuung setzt Vertrauen voraus, deshalb kann erst nach einer Nachbearbeitung eines Vorfalls wieder zum Betreuungsalltag übergegangen werden.

Im Folgenden finden Sie eine schematische Handlungsanleitung, einen »Algorithmus« (Abbildung 9 plus Kommentar).

Nachbearbeitung eines Gewaltvorfalls

Die Nachbearbeitung eines Vorfalls umfasst die Betreuung betroffener Personen (Opfer), weitere Nachsorgemaßnahmen mit zusätzlichen Sicherheitsmaßnahmen und einer Information nicht unmittelbar Betroffener sowie eine Nachbesprechung.

ABBILDUNG 9

Algorithmus für den Umgang mit bedrohlichen Situationen

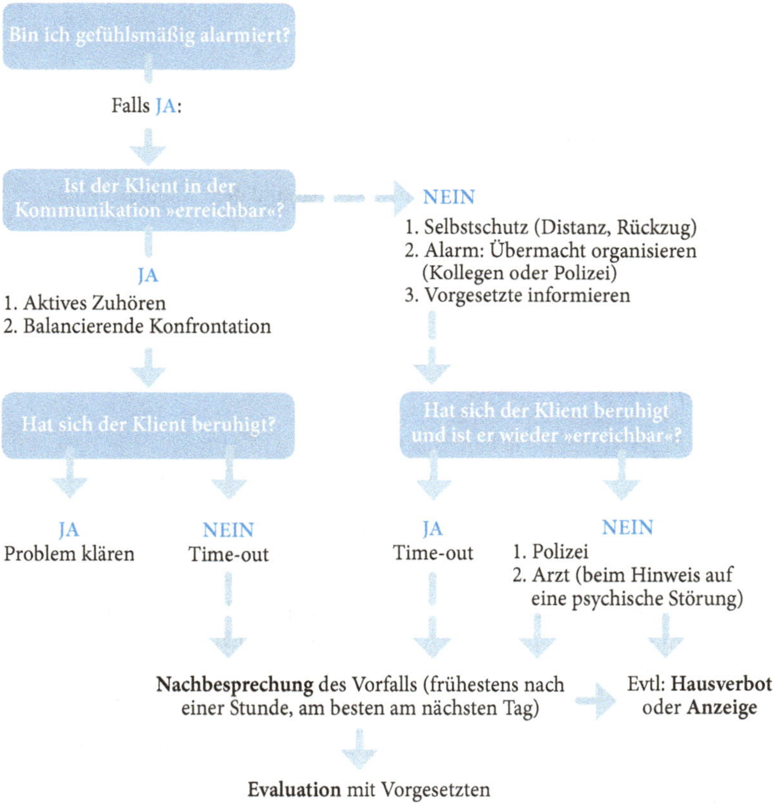

Kommentar

Vorinformationen beachten: Gewaltbereite Menschen sind öfter schon früher gewalttätig gewesen. Deshalb stets entsprechende Vorinformationen ernst nehmen!

Gefühlsmäßig alarmiert: Angst ist ein überlebensnotwendiges Signal. Unsere Intuition ist maßgebend für die Risikowahrnehmung: Furcht, körperliche Spannung, Fluchtimpuls, Angriffsimpuls (je nach Temperament und aktueller Befindlichkeit). Sicherheit hat stets Vorrang vor allen übrigen Aufgaben! Ohne Sicherheit keine professionelle Tätigkeit!

In der Kommunikation erreichbar: Reagiert der Klient überhaupt auf mein Erscheinen? Bezieht er sich in seinen Äußerungen auf meine Intervention? Ist er zugänglich für beruhigende Interventionen (oder missversteht er dies als Provokation)?

Generell: einen sicheren Gesprächsrahmen schaffen:
- Sich vorstellen: Name, Funktion
- An einen ruhigen Ort bitten
- Mit ruhigen Worten bitten, Platz zu nehmen
- Tür offen oder angelehnt lassen
- Sich so setzen, dass man einen Fluchtweg hat und dem Klienten keinen Fluchtweg versperrt

Aktives Zuhören: In eigenen Worten wiederholen, was der Kunde äußert: Konkret und sachlich (!) umschreiben, was ich gehört habe:
- Welches Problem hat er?
- Welche Empfindung verbindet sich damit bei ihm in meiner Wahrnehmung?
- Welches Anliegen an mich äußert er?

In der Regel ist dies allein bereits beruhigend!

Balancierende Konfrontation:
- Nachvollziehbares aufgreifen, erlittene Kränkungen, erlebte Belastungen etc. in sachlichen Worten würdigen, verständliche Forderungen anerkennen
- Grenzüberschreitende Bemerkungen entschieden, aber höflich unterbrechen; auf Spielregeln verweisen, darum bitten, diese einzuhalten: Grenzen setzen!

Vorgesetzte informieren: Jeder Gewaltvorfall ist Chefsache! Das ist auch bei schwerer Drohung (»Ich bringe Sie um!«, »Sie werden hier noch etwas erleben«), Hinweis auf Waffenbesitz und bei drastischen sexistischen oder rassistischen Bemerkungen notwendig.

Psychische Störung: Bei anhaltender Selbstgefährdung (heftige Suizidäußerungen) oder bei fremdgefährdendem Verhalten, das psychisch auffällig wirkt, zusätzlich zur Polizei einen Arzt beiziehen.

Die Betreuung von Opfern

Die Betreuung von Opfern beginnt unmittelbar nach dem Ereignis. Man sollte die betroffene Person danach fragen, was für sie jetzt hilfreich ist. Dabei sollte man ihr nie ein Gespräch aufzwingen und vorsichtig sein mit tröstenden Berührungen (es sei denn, man ist sehr vertraut mit der Person). Das, was das Opfer im Moment der Gefahr zum Schutz getan hat, soll anerkennend gewürdigt werden (Kritik ist streng verboten!). Heftige Gefühlsäußerungen sollten respektiert werden (auch wenn sie mit Vorwürfen an Vorgesetzte oder weniger betroffene Mitarbeiter gerichtet sind); man sollte dafür Verständnis zeigen und solche Äußerungen nicht auszureden versuchen. Falls sich Opfer selbst kritisieren oder gar beschuldigen oder entwerten, sollte dies sofort behutsam unterbrochen werden. Vertraute Bezugspersonen sollten dem Opfer Begleitung anbieten. Nie ein Opfer allein lassen!

Falls Mitarbeiterinnen und Mitarbeiter zu Opfern wurden, sollte diesen sofort eine Arbeitspause gewährt werden. Vorgesetzte können konstruktiv wirken, indem sie das Verhalten der betroffenen Person ausdrücklich würdigen. Weisen Sie auf externe psychologische Beratungsmöglichkeiten hin! In der Regel sind heftige psychische Reaktionen normale Folgen derartiger Erlebnisse und klingen bei guter Unterstützung innerhalb von Tagen rasch ab.

Weitere Nachsorgemaßnahmen unmittelbar nach dem Vorfall sind: Der Vorgesetzte leitet zusätzliche Sicherheitsmaßnahmen ein (Hausverbot, Strafanzeige) und potenzielle weitere Opfer außerhalb der Institution werden gewarnt. Anschließend werden die anderen Mitarbeiter und dann die Mitpatienten angemessen informiert. Es empfiehlt sich dabei eine klare Information, die zuvor abgesprochen wurde, die aber ohne Details der Ereignisse auskommt.

Nie Opfer kritisieren! Nie ein Opfer unmittelbar nach der Tat mit dem Täter konfrontieren!

Nachbesprechung mit dem Täter

Die Nachbesprechung mit dem Täter erfolgt frühestens nach einer Stunde, wenn möglich erst am nächsten Tag (und möglichst unter Leitung eines Vorgesetzten). In die Nachbesprechung werden nur kommunikationsfähige Personen einbezogen, die sich nicht mehr in Erregung befinden. Deshalb ist ein »Mal-drüber-Schlafen« sinnvoll. Inhalt dieser Nachbesprechung sind mehrere Themen: Zum einen wird versucht zu verstehen, was am Vortag geschehen ist. Zum anderen wird die Verletzung von Spielregeln markiert und werden die Konsequenzen festgelegt, um schließlich eine Vereinbarung zu treffen. Dabei gilt: Verstehen eines Gewaltvorfalls bedeutet nicht, ihn gutzuheißen.

Es gibt keine Rechtfertigung für Gewalt außerhalb einer physischen Notwehrsituation!

Aus der Analyse der Ereignisse (Anlass, Ablauf, Eskalations- und Deeskalationsfaktoren) werden zur Vorbeugung eines Rückfalls Schlussfolgerungen gezogen, damit es bei erneuten Konflikten andere Wege gibt, um die entstehende Spannung zu reduzieren und den Konflikt zu klären.

Dabei wird an die verletzte Gesetzesnorm beziehungsweise Hausordnung und an grundlegende zwischenmenschliche Kommunikationsnormen erinnert. Der Sinn dieser Regeln wird erläutert, und es wird deutlich dargelegt, dass diese nicht verhandelbar, sondern Bedingung für den Aufenthalt sind.

Die Verletzung einer Regel hat Konsequenzen, die der Schwere der Grenzverletzung angemessen sein muss.

Eine erste wichtige Konsequenz ist die Entschuldigung des Täters. Diese muss in angemessener Form auch vor den Mitpatienten wiederholt werden, damit es deutlich wird, dass sich der Täter der Spielregel unterzieht und für ihn dieselben Bedingungen existieren wie für die anderen Patienten auch.

Bei schwerwiegenden Vorfällen kann es sein, dass das Opfer keinen Kontakt mehr zum Täter will. Dies ist – wenn es sich um eine verhältnismäßige Reaktion handelt – unbedingt zu respektieren. Man sollte ein Opfer nie ohne dessen ausdrückliche Einwilligung einem Täter gegenüberstellen. Dies kann bedeuten, dass der Täter in einer anderen Betreuungseinheit der Institution untergebracht, dass er vorübergehend in eine andere Institution verlegt (»Time-out«) oder dass er entlassen werden muss. Das heißt auch: Der Täter muss sich um Wiedergutmachung bemühen. Leider gibt es immer wieder Institutionen, die diese grundlegende Regel missachten, was zur Folge hat, dass die Täter die Regeln der Institution zu bestimmen beginnen.

Einem erheblichen Vorfall sollte eine Wiedergutmachung folgen. Der Täter tut etwas für das Opfer oder die Institution oder er trägt eine Konsequenz, die ihm einen Komfortverzicht auferlegt. Er übernimmt zum Beispiel ein Amt für das Opfer. Er zeigt damit nicht bloß mit Worten Reue, sondern auch mit Taten. Dies ist besonders wichtig bei Personen, die gelernt haben, sich durch beiläufige Entschuldigungen aus der Verantwortung zu stehlen.

VEREINBARUNG Nach der Entschuldigung und der Wiedergutmachung beziehungsweise der Sanktion wird festgelegt, was bei einer erneuten derartigen Grenzüberschreitung innerhalb eines definierten Zeitraums geschehen soll. Diese Sanktion wird schriftlich festgehalten und vom Täter unterschrieben. Nun gibt es eine Vereinbarung über die weitere Vorgehensweise im aktuellen Betreuungskontext: Was kann in Zukunft anders gemacht werden, damit das Problem anders als mit einer Grenzverletzung »gelöst« wird? Zu all dem gibt es eine ausführliche Aktennotiz.

Falls durch einen kommunikationsfähigen Patienten innerhalb der vorher festgelegten Beobachtungszeit erneut eine Grenzverletzung geschieht, wird dies als Entscheid des Patienten gegen die Spielregeln und damit potenziell gegen einen weiteren Aufenthalt in der Institution verstanden. Dies wird dem Patienten im Nachgespräch angekündigt. Falls sich der Patient an die Vereinbarungen hält, wird das ausdrücklich gewürdigt. > Vereinbarungen, Seiten 51, 85

Die Erfahrung zeigt, dass die hier beschriebene Vorgehensweise zu einer entspannten Atmosphäre in der Institution beiträgt und Gewaltvorfälle deutlich reduziert. Voraussetzung ist, dass sich das ganze Team und die Vorgesetzten konsequent verhalten. Gelegentlich wird diese Konsequenz von einigen Klienten zuerst noch einmal »getestet«. Danach nehmen die Vorfälle ab, da sich die konsequente Praxis der Mitarbeiterinnen und Mitarbeiter auch unter den Klienten außerhalb der Institution herumspricht. Die Mitarbeiter verfügen wieder über Autorität und sie können jetzt motivierte Klienten betreuen, die das Hilfeangebot der Institution tatsächlich beanspruchen möchten. Es werden sich auch vermehrt motivierte Personen um einen Aufenthalt in dieser Institution bemühen. Damit erweist sich diese Vorgehensweise auch als ökonomisch sinnvoll: mehr motivierte Klienten, weniger Kündigungen und Krankheitsausfälle von Mitarbeitern sowie besserer Ruf bei den Zuweisern.

Erst die Nachbesprechung eines Gewaltvorfalls ermöglicht eine nachhaltige Wirkung einer Intervention.

Vorgehen bei wahnhaftem Verhalten

Wir versuchen im Lebensalltag üblicherweise, unsere Mitmenschen mittels des gesunden Menschenverstands einzuschätzen und zu verstehen. Der gesunde Menschenverstand bildet sich durch Lebenserfahrungen sowie durch Rückschlüsse von uns selbst auf andere mittels Einfühlung.

Dieses Erfahrungswissen reicht aber nicht aus, um Menschen mit schweren psychischen Störungen zu begreifen, da diese Personen die Welt im Zweifelsfall völlig anders erleben und sich anders verhalten, als wir es von unseren Mitmenschen gewohnt sind. Dies ist so, weil sie aufgrund veränderter Wahrnehmungen sich und ihre Umwelt leicht bis sehr stark verändert erleben. So sieht ein Baum nicht mehr wie ein Baum aus, Farben verändern sich oder wo nichts ist, wird etwas wahrgenommen. Dies bezeichnen wir als gestörte Wahrnehmung und das derart Wahrgenommene als Halluzination.

Solche Kranken können Stimmen hören oder sie können Objekte sehen, für die es keine Anhaltspunkte gibt. Dadurch verändert sich ihre Sicht des Alltags massiv: Wir nennen dies einen gestörten Realitätsbezug. Dies kommt vor bei Menschen mit wahnhaften Erkrankungen. Ihr Verhalten ist krankheitsbedingt erheblich unangemessen. Wir sind irritiert, begreifen es nicht, fühlen uns verwirrt und werden im Kontakt vorsichtig. Es gibt dabei unterschiedliche Arten von Wahn, zum Beispiel:

- Beziehungswahn (alles, was passiert oder sich im Umfeld des Patienten befindet, hat einen Bezug zu ihm),
- Bedeutungswahn (alles hat eine besondere Bedeutung, ist nur dazu da, um dem Patienten eine verschlüsselte Botschaft zu senden),

- Verfolgungswahn (der Patient fühlt sich verfolgt oder als Opfer einer Verschwörung) – auch dies ist nicht besprechbar, selbst wenn offensichtliche Indizien gegen eine Bedrohung sprechen.

Speziell bei Wahnkranken ist es deshalb sinnvoll, mehrere Empfehlungen zu beachten, da diese Klientinnen und Klienten besonders empfindsam reagieren können:

Vertraute beiziehen: Zum Erstkontakt sollten Sie andere Personen beiziehen, die die Kranken kennen und zu denen sie ein vertrautes Verhältnis haben. Das beruhigt auch den Erkrankten.

Gesprächsort: Sie sollten einen Raum wählen, in dem für alle genügend Bewegungsfreiheit besteht. Möglicherweise will der Klient seinen Ort, an dem er sich im Moment aufhält, nicht verlassen. Es ist sinnvoll, dies zu respektieren. Wenn er sich in seinem Zimmer befindet, so fragen Sie, ob Sie eintreten dürfen. Wenn keine Antwort erfolgt, so bleiben Sie im Türrahmen auf der Seite stehen. Achten Sie auf gute Raumbeleuchtung, damit man Ihr Gesicht und Ihre Mimik gut erkennt. Lassen Sie TV-Apparate oder Radios abstellen, damit Reizeindrücke reduziert werden. Schicken Sie »Publikum« aus dem Raum, lassen Sie jedoch Angehörige, andere Betreuer oder die Polizei in Ihrer unmittelbaren Nähe, damit diese gegebenenfalls eingreifen können. Gehen Sie nie allein mit dem Klienten in einen abgeschlossenen Raum. Lassen Sie stets die Tür offen und halten Sie sich den Rückzugsweg frei.

Räumliche Distanz: Halten Sie mindestens zwei Armlängen Abstand; falls der Kranke größere Distanz einnimmt, sollte man ihn gewähren lassen; man sollte ihn nicht bedrängen und ihn auch nicht berühren (im Zweifelsfall auch kein Händedruck). Man nehme möglichst keine frontal zugewendete, sondern eine eher abgewendete Körperhaltung ein, ohne direkten Blickkontakt. Versuchen Sie zu veranlassen, dass alle Beteiligten beim kurzen Gespräch *sitzen*.

Bei möglicherweise Wahnkranken nie konfrontieren, nie unter Druck setzen oder dem Klienten zu nahe kommen.

Gesprächsverhalten: Man überlege sich vor dem Kontakt, was es unbedingt abzuklären gilt, um das Gespräch sehr kurz zu halten. Es empfiehlt sich, einfache Fragen zu stellen, in kurzen und einfachen Sätzen zu sprechen, sich ausschließlich auf das zu beziehen, was im Hier und Jetzt wichtig ist, ohne Ironie oder Andeutungen oder Schmunzeln. Sobald man realisiert, dass der Klient am Thema vorbeiredet, sollte man insistierendes Nachfragen vermeiden. Eine unangemessene Ausdrucksweise ist vermutlich ein Kennzeichen der Krankheit. Auf keinen Fall sollte man grenzüberschreitendes Verhalten rügen, sondern dies als Hinweis verstehen, besser auf Distanz zu gehen.

Wenn deutlich wird, dass der Patient in einer wahnhaften Welt lebt, dann sollte das Gespräch schnell und freundlich abgeschlossen werden. Notwendige Informationen können von Angehörigen oder anderen Betreuern erfahren werden.

Nie sollte etwas zur Diskussion gestellt werden, das nicht verhandelbar ist. Unangemessen ist etwa die Frage danach, ob ein Klient mit der vorgesehenen Klinikeinweisung einverstanden ist, stattdessen sind die entsprechenden Schritte einzuleiten, indem darauf hingewiesen wird, dass die Angehörigen erschöpft und ratlos sind und die Helfer sich Sorgen um den Klienten machen, der intensive Hilfe braucht. Die meisten Betroffenen folgen solchen freundlichen und entschiedenen Anordnungen. Sobald Helfende jedoch zu fragen beginnen, eröffnen sie eine Diskussion, die sehr unerfreulich werden kann. Deshalb: Entschiedenes wird nicht mehr diskutiert.

Sinnvoll kann es sein, die Klienten um Entscheidungen in Bezug auf weniger wichtige Sachverhalte zu bitten.

BEISPIEL

Der Krisendienst einer großen Stadt wird abends um 23 Uhr von einem »völlig entnervten« Mann angerufen. Seit Tagen belästige eine 55-jährige Nachbarin das ganze Wohnumfeld. Sie stehe auf dem Balkon des vierten Stockwerks und rufe »wirres Zeug« in den Hinterhof, beschimpfe die Leute mit obszönen Ausdrücken. Um dies zu dokumentieren, hält er seinen Hörer zum Fenster hinaus, und der Krisenhelfer hört das Schreien einer weiblichen Stimme und regelrechte Schreiduelle unter den Nachbarn, die sich teils belustigen, teils wegen der gestörten Nachtruhe wütend sind.

Der Anrufer beklagt sich, dass schon mehrere Abende vorher die Polizei angerückt sei und sofort bei deren Eintreffen Ruhe geherrscht habe, sodass die Beamten keinen Anlass gesehen hätten, einzugreifen.

Der Notfallhelfer informiert die Polizei, begibt sich an den Ort des Geschehens, und die Polizei verschafft sich Zutritt zur Wohnung, wo sie eine schimpfende Frau antreffen, die sich in wirren Worten wütend beklagt. Der beigezogene Arzt des Sozialpsychiatrischen Dienstes meldet die Frau in der psychiatrischen Klinik an. Sobald sie dies hört, geht das Gezeter erst recht los. Der Arzt ist ratlos und der Helfer hat sich bereits in den Korridor zu den Polizisten zurückgezogen. Der ältere der beiden Polizisten entdeckt im Korridor ein paar Straßenschuhe, bringt sie mit freundlicher Geste zu der Frau und fragt sie, in welchen Schuh sie zuerst steigen wolle. Wütend und schimpfend steigt sie nun in den einen, dann in den anderen Schuh. Daraufhin geht der Polizist zurück zur Garderobe, holt einen leichten Regenmantel, weil es draußen nieselt, geht wieder ins Zimmer und hält der Frau den Mantel mit galanter Geste hin. Immer noch wütend und schimpfend steigt sie in die Ärmel. Nun hält der Polizist ihr sogar den abgewinkelten

Arm hin, sie hängt sich ein und beide steigen die Treppe hinunter, bis zum Polizeifahrzeug, begleitet von Schimpftiraden, jedoch keinem tätlichen Widerstand.

Reaktion auf Wahninhalte: Wahnvorstellungen oder eine geäußerte Sinnestäuschung eines Klienten sollten lediglich zur Kenntnis genommen werden, ohne sie zu kommentieren. Helfer können allenfalls sagen, dass sie die entsprechende (wahnhafte) Wahrnehmung des Klienten nicht haben. Sie sollten jedoch nie darüber zu diskutieren beginnen oder gar versuchen, jemandem einen Wahngedanken auszureden. Ein Wahnkranker ist von seiner Wahrnehmung überzeugt, seine Weltsicht ist nicht besprechbar. Wenn Helfer darauf einzugehen versuchen, kann dies der Klient als zu nahe empfinden. Deshalb: Machen Sie keine Experimente.

Nie einen Wahn auszureden versuchen, sondern das Thema wechseln.

KINDERSCHUTZ Wenn Eltern psychotisch werden, so hat dies auf die Kinder je nach Alter unterschiedliche Auswirkungen, die besonders bei kleinen Kindern und erst recht bei Säuglingen verheerend sein können. Besonders verhängnisvoll ist es, wenn die Kranken weder eine Krankheitseinsicht haben noch bereit sind, Medikamente einzunehmen oder Hilfestellungen von außen für die Kinder zu akzeptieren. Die Kinder können in solchen Fällen psychisch und körperlich misshandelt oder lebensgefährlich verletzt werden, da die Kranken ihre Kinder unter Umständen auch in ihr Wahnsystem einbauen. Zudem können die Kinder psychisch schwer traumatisiert werden, da sie in von einem psychosekranken Elternteil völlig verkannt werden können.

BEISPIEL

Eine wahnkranke, alleinerziehende Mutter mit zwei kleinen Kindern ist der Überzeugung, dass ihre Kinder vom Teufel gezeugt wurden und sie deshalb auf magische Weise quälen. Mitten in der Nacht steht sie auf, schleicht sich ins Zimmer mit ihren schlafenden Töchtern und schlägt sie heftig, »um den Teufel auszutreiben«. Die Töchter entwickeln später eine Angststörung mit Panikattacken. Sie leiden unter schweren Schlafstörungen.

In Fällen wie im Beispiel ist eine Gefährdungsmeldung beim Jugendamt erforderlich. > Kinderschutz, Seiten 53, 57

In Notfallsituationen mit Wahnkranken ziehe man stets einen Psychiater bei.

Umgang mit schwer kommunikationsgestörten Klienten

Wenn Menschen in Krisen etwas Erschütterndes erleben, einen schweren Verlust, eine psychische Verletzung oder eine massive Kränkung, so überrascht es uns nicht, wenn die Betroffenen heftig reagieren, »außer sich« geraten oder vorübergehend nicht mehr richtig ansprechbar sind. Wenn sich unmittelbar vor einem Klientenkontakt nichts Derartiges ereignete und der Kontext der angebotenen Hilfe ruhig, freundlich, anteilnehmend und angemessen abgegrenzt ist, so können uns bestimmte Reaktionen unserer Gesprächspartner erstaunen.

Es gibt verschiedene Indizien für kommunikationsgestörtes Verhalten:

1. Indiz Wenn uns die Reaktion völlig überrascht, insbesondere wenn sie uns grob unangemessen (nicht der Situation entsprechend) erscheint, empfinden wir dies als »gestört«.

Normal ist es zum Beispiel, wenn wir eine Person höflich bitten, die Teller vom Tisch abzuräumen, und sie die Teller dann auch in die Küche trägt. Auffällig ist, wenn diese Person wutentbrannt einen Teller nimmt und auf den Boden wirft. Völlig unangemessen ist es, wenn diese Person anstatt die Teller die Bilder von der Wand in die Küche trägt.

2. Indiz Wenn wir im Verlauf eines Gesprächs plötzlich bemerken, dass wir selbst ohne erkennbaren Anlass in eine völlig andere Stimmungslage hineinkommen, für die wir keine Erklärung finden, dann nehmen wir an, dass unser Gegenüber oder die Situation »gestört« sein könnte.

Völlig normal ist es, wenn wir einen Konflikt mit jemand austragen, dass wir uns dann ärgern oder etwas erregt sind. Wenn wir jedoch nicht in einem Konflikt stecken, uns aber trotzdem fühlen, als wären wir mitten in einem Streit, dann ist da etwas »gestört«.

3. Indiz Wenn wir im Rahmen eines professionellen Kontakts merken, dass sich unser erwachsenes Gegenüber plötzlich »aus der Rolle fallend« verhält, dann nehmen wir an, dass da etwas »gestört« ist.

Normal ist es, wenn sich das volljährige Gegenüber verhält wie eine erwachsene Person. Aus der Rolle fallend verhält sie sich, wenn sie sich uns gegenüber »wie ein Kind« verhält oder »als wäre es unsere Mutter« oder »wie eine Freundin« etc.

4. Indiz Wenn wir uns selbst dabei beobachten, dass wir »aus der Rolle geraten«, obschon wir normalerweise nicht zu einer entsprechenden Verhaltensweise neigen, dann kann uns der Gedanke kommen, dass sich unser Gegenüber »gestört« verhält. Wir fühlen uns dann manipuliert.

Normal ist es, wenn wir – vorausgesetzt, es handelt sich nicht um eine unerwartetete und schwere Grenzüberschreitung – bei unserer

Haltung bleiben und in einem abgegrenzt empathischen Bezug zum Gegenüber stehen.

Kommunikationsstörungen erkennen Sie daran, dass ein Klient im Gespräch nicht erreicht werden kann; trotz Bemühung unsererseits entsteht kein wechselseitiger Bezug.

KOMMUNIKATION Im Kontakt mit schwer kommunikationsgestörten Menschen hilfreich sind einfache, klare, abgegrenzte und dennoch bezogene Botschaften, die mit dem Team abgestimmt sind. Eine Botschaft ist »einfach«, wenn nicht zwei Dinge auf einmal angesprochen werden; sie ist dann auch kurz und prägnant. Die Botschaft ist »klar«, wenn unsere Worte, unsere Mimik und unsere Handlungen einander entsprechen. Dieser »Klartext« kommt ohne Ironie und Metaphern aus und bezieht sich ganz konkret auf aktuelle Sachverhalte. Eine Botschaft ist »abgegrenzt und bezogen«, wenn der Sprechende die Mitteilungen des Angesprochenen inhaltlich und stimmungsmäßig aufnimmt und sich seinerseits authentisch einbringt (»Ich-Botschaft«), ohne sich persönlich zu offenbaren. > Kommunikationsstörungen, Seiten 67, 131

Der Bezug ist stets eine Einfühlungsleistung – in den anderen und in sich selbst. Abgrenzung bedeutet, sich dabei stets seiner professionellen Rolle und der beeinträchtigten Gesundheit des Klienten bewusst zu bleiben. Gerade bei kommunikationsgestörten Personen ist eine ruhige und distanzierte Äußerungsweise angezeigt.

GESPRÄCHSHALTUNG Wenn wir eine solch nüchterne, gut abgegrenzte Haltung einnehmen und wir nicht familiär-salopp werden, bleibt unsere Kommunikation angemessen. Es muss selbstverständlich sein, dass wir uns bemühen, zu einer Bewohnerin nicht zu sprechen wie zu einem Kind, zu einer Tochter oder zu einer Freundin etc. Unsere Kommunikation soll auch in schwierigen Fällen auf einer Kultur von Respekt und Abgrenzung beruhen: dass wir Klientinnen siezen oder dass wir sorgfältig die Grenzen der Bewohner respektieren beziehungsweise – wenn wir dazu gezwungen sind, Grenzen zu überschreiten – dies sofort erläutern.

Wen Dinge, die er im Kontakt mit Klienten erlebt, verblüffen, sollte nicht interpretieren, sondern sich bemühen, die Wahrnehmungen präzise zu beschreiben.

Anerkennung einer konstruktiven Haltung ist wichtig! Anerkennen Sie die kleinen Schritte, die die meisten Klienten unternehmen, um mit uns irgendwie doch zu kooperieren.

Bei Verdacht auf Kommunikationsstörung ruhig, klar und einfach formulieren sowie sich nur auf das, was hier und jetzt wichtig ist, beziehen! Nicht diskutieren, sondern informieren!

Klinikeinweisung und Zwangsmaßnahmen

Falls eine dringende Behandlungsbedürftigkeit besteht, die einen intensiven Aufwand erfordert (Dauerbetreuung zum Schutz vor Selbst- und Fremdgefährdung, intensive psychiatrische Abklärung, tägliche Arztkonsultationen, begleitende Betreuung auch nachts etc.), ist eine Klinikeinweisung sinnvoll, manchmal unumgehbar. Zum Glück gibt es psychiatrische Kliniken, in denen eine derartige Dienstleistung angeboten wird, um das mitleidende Umfeld und die überforderten ambulanten Helferinnen und Helfer zu entlasten. Eine entsprechend positive Haltung der Helfenden gegenüber der stationären Psychiatrie ist wichtig, um Klienten zu einem Klinikeintritt zu motivieren.

Wenn eine zusätzliche Abklärung erforderlich ist, sollte man nicht zögern, weitere Fachpersonen beizuziehen. Dies betrifft die Notwendigkeit einer psychiatrischen Beurteilung, wenn die bisherige Hilfestellung nicht durch einen Arzt erfolgte. Besonders bei Gefahr einer

Selbst- und Fremdgefährdung delegiert man am besten die weitere Abklärung an einen Psychiater.

Eine Klinikeinweisung lässt sich am besten durch einen Psychiater oder eine dazu befugte Amtsperson durchsetzen.

POLIZEIEINSÄTZE Falls die Sicherheit von Anwesenden nicht gewährleistet ist, ziehe man die Polizei hinzu. Die Notwendigkeit eines polizeilichen Einsatzes ist bei der telefonischen Alarmierung klar zu nennen. Man weise darauf hin, dass von einem Klienten krankheitsbedingt eine Gefährdung ausgehen könnte, damit die Polizei weiß, mit welcher personellen Stärke sie auftreten muss. Eine klare Übermacht wirkt in der Regel sofort deeskalierend auf gewaltbereite Menschen – auch wenn sie psychosekrank sind.

Heikle Entscheidungen sollten unbedingt erst mitgeteilt werden, wenn man sich in Sicherheit befindet. So ist zuerst das Eintreffen der Polizei abzuwarten, bevor eine Entscheidung für eine Klinikeinweisung mitgeteilt wird. Im Zweifelsfall lasse man die Polizei im Raum, in dem ein Gespräch mit Klient und Angehörigen stattfindet, falls eine Eskalation drohen könnte. Die Gewährleistung der persönlichen Sicherheit ist ein höheres Rechtsgut als das Berufsgeheimnis.

ANGEHÖRIGE Angehörige können Helfern gegenüber ambivalent auftreten. Dies hängt häufig mit einem Loyalitätskonflikt gegenüber dem Klienten zusammen, unter dem sie leiden. In dramatischen Krisen, bei denen Zwangsmaßnahmen notwendig werden, fühlen sich die Angehörigen auf der einen Seite völlig überfordert und verzweifelt, auf der anderen Seite spüren sie den Widerstand der Klienten gegenüber einer notwendigen Klinikeinweisung und haben häufig versprochen, dass diese nicht erfolgen wird. Da kann es wichtig sein, die Angehörigen auf dieses Dilemma anzusprechen und sie von der Aufgabe zu entlasten, dem Klienten zu sagen, welche psychiatrische Maßnahme notwendig ist. Dies ist Aufgabe des ärztlichen Notfallhelfers. Daraus folgt eine spezifische Methodik der Zwangseinweisung.

BEURTEILUNG Der erste Schritt einer Zwangseinweisung ist die Beurteilung durch den herbeigerufenen Arzt beziehungsweise eine andere entscheidungsbefugte Fachperson. Hier sind die länderspezifischen Gesetze zu beachten. Der Entscheid sollte klar getroffen werden, da nur auf diese Weise das eventuell ambivalente oder gar widersprechende Umfeld für eine solche Maßnahme gewonnen werden kann. Eine gedankliche Hilfe kann sein, dass man sich vornimmt, sich im Zweifelsfall für diejenige Variante zu entscheiden, bei welcher die Sicherheit der Betroffenen am ehesten gewährleistet ist. Da die gesetzlichen Regelungen ein Rekurs- oder Widerspruchsrecht der Betroffenen und der Angehörigen vorsehen, kann diese Entscheidung durch die Folgeinstanz rasch revidiert werden, falls die getroffene Maßnahme in der Rückschau nicht mehr angemessen erscheint.

NOTFALLKONFERENZ Der zweite Schritt besteht in einer Ad-hoc-Notfallkonferenz, bei der die Angehörigen darüber informiert werden, dass es nicht ihre Aufgabe ist, den Betroffenen von der Notwendigkeit eines Klinikeintritts zu überzeugen. Ihre Aufgabe besteht darin, dem Klienten in klaren Worten mitzuteilen, dass sie sich große Sorgen machen, dass sie die Verantwortung für sein Wohlergehen nicht mehr übernehmen können und dass sie überfordert sind, ihn weiterhin zu beherbergen, da sie selbst am Ende ihrer Kräfte sind oder inzwischen selbst psychisch beeinträchtigt sind, nicht mehr schlafen können oder gar Medikamente einnehmen müssen. Es ist dann Aufgabe des herbeigerufenen Notfallarztes beziehungsweise der zuständigen Amtsperson, die Notwendigkeit einer Klinikeinweisung zu eröffnen.

BEISPIEL

Der Arzt des psychiatrischen Hintergrunddienstes wird von zwei Mitarbeitern eines Kriseninterventionszentrums abends in eine einfache Zweizimmerwohnung gerufen. Ein 42-jähriger psychosekranker Mann lebt dort bei seiner betagten Mutter, die telefonisch Hilfe angefordert hatte. Ihr Sohn würde seit Tagen nicht mehr essen, ziehe sich in sein Zimmer zurück und spreche kein Wort mehr. Sie kenne derartige Situationen aus früheren Jahren, als er in eine psychiatrische Klinik eingewiesen werden musste. Erfahrungsgemäß sei es jedoch schwierig, ihn dorthin zu bringen, er könne sich heftig wehren.

Zur Sicherheit wird die Polizei gerufen, die sich taktvoll, aber gut sichtbar im Hintergrund hält. Nach kurzer Rücksprache mit dem Arzt besprechen sich die Krisenhelfer mit der besorgten Mutter. Sie wendet sich jetzt an ihren Sohn und sagt ihm, dass sie sich große Sorgen um seinen Gesundheitszustand mache, dass sie jedoch selbst am Ende ihrer Kräfte sei, seit einer Woche nicht mehr richtig schlafen könne, dass sie deswegen Medikamente einnehme und jetzt nicht mehr für ihn sorgen könne, sonst breche sie selbst zusammen. Sie sagt zum Sohn: »Ich kann dir jetzt nicht mehr helfen!«

Darauf eröffnet der Arzt dem Kranken, dass er zu seinem Schutz und zur Behandlung in die psychiatrische Klinik eingewiesen werde. Der Klient bleibt weiterhin stumm, scheint jedoch seiner Mutter aufmerksam zugehört zu haben.

Ohne Raum für Diskussion zu geben (da der Entscheid in einer solchen Situation nicht verhandelbar ist), wird gleich anschließend der Klient gebeten, seine Toilettensachen zu packen, Geld, Handy sowie Nacht- und Wechselwäsche mitzunehmen.

Die Rolle der Angehörigen ist es, dem Patienten ihre Sorge, Ratlosigkeit und Erschöpfung mitzuteilen. Die Rolle des professionellen Notfallhelfers ist es, den Entscheid zur Klinikeinweisung vor den Anwesenden zu vertreten.

PATIENTENTRANSPORT Bei unbekannten Klientinnen und Klienten hüte man sich davor, diese in einer Notfallsituation mit dem Privatfahrzeug oder Taxi und zudem ohne Begleitung zu transportieren.

BEISPIEL

Eine Sozialarbeiterin führt eine gesetzliche Betreuung bei einem 25-jährigen Mann durch, der seit seinem 18. Lebensjahr an einer schweren paranoiden Schizophrenie erkrankt ist. Er bezieht deswegen bereits eine Rente. Bei einem ihrer wöchentlichen Hausbesuche im Rahmen des betreuten Einzelwohnens merkt sie, dass ihr Klient trotz der verordneten Medikamente wieder Stimmen zu hören scheint und kaum mehr richtig im Gespräch erreichbar ist. Sie meldet sich in der Klinik an, in der er bereits bekannt ist, bittet ihn in ihr Auto und fährt in Richtung Klinik los.

An einer belebten Straßenkreuzung muss sie anhalten. Der Selbstgespräche führende Mann öffnet plötzlich die Türe, rennt quer über die Straße an das Flussufer und läuft zum Entsetzen der Betreuerin in das Wasser, das an der Stelle eine starke Strömung hat. Eine vorbeiziehende Polizeistreife zu Fuß beobachtet den Vorfall. Die beiden Polizisten stürzen sich in den Fluss und können den Klienten wieder ans Ufer bringen. Mit einer Ambulanz wird er in die Klinik gebracht.

Der Transport in eine Klinik sollte stets mit Polizei, Sanitätsdienst oder Feuerwehr stattfinden – je nach den örtlichen Gepflogenheiten.

Falls solche Maßnahmen ruhig, mit freundlicher und bestimmter Stimme und in vorher mit der Polizei abgestimmter Handlungsabfolge geschieht, ist in der Regel keine weitere Sicherheitsmaßnahme wie Fesselung oder Medikation notwendig.

Dennoch kann nicht ausgeschlossen werden, dass es zu einer Eskalation mit Handgemenge kommt. Wenn Klienten die Einweisungsentscheidung nicht hinnehmen und sich weiterhin dagegen wehren, dann kann es turbulent werden. Dabei ist die psychiatrische Klinik nicht Ursache der Dramatik. Die Notwendigkeit zur Einweisung ist Folge einer unhaltbaren psychosozialen Lage. Die Kontrolle dieser Lage ist Aufgabe der Polizei. Man rücke dabei nicht von einem einmal gefassten Entscheid ab. Lieber ein Ende mit Schrecken als ein Schrecken ohne Ende.

Die Anwendung von Zwang geschieht aus einer Abwägung von Nutzen und Schaden. Grundsätzlich kann oder muss Zwang angewendet werden, wenn aus Krankheitsgründen für den Klienten und sein Umfeld eine unmittelbare Gefahr besteht, die nicht anders abgewendet werden kann. Vielfach wird bei der Beurteilung der akuten Selbst- und Fremdgefährdung zu sehr von physischen Gefahren durch körperliche Verletzungen ausgegangen und zu wenig berücksichtigt, welche verheerenden Folgen psychische Verletzungen, Erschöpfung und Zermürbung auch für mitbetroffene Angehörige haben können. Deshalb sollten Notfallhelfer diese psychosozialen Gefährdungsaspekte in einem schriftlichen Begleitbrief für die Klinik nachvollziehbar schildern, da viele, sogar psychosekranke Menschen im Moment der ersten Kontaktaufnahme mit der Ärztin, vorerst ruhig reagieren, sodass diese meinen kann: »Der Klient hat ja nichts Schwerwiegendes.« > Gefahrenabschätzung, Seite 39

BEISPIEL

Ein in Notfalleinsätzen noch unerfahrener junger Arzt wird von einer Frau angerufen. Sie befinde sich in der Wohnung einer Nachbarin, da sie nicht wage, aus ihrer eigenen Wohnung anzurufen. Ihr Sohn, seit mehreren Wochen zunehmend zurückgezogen, Unverständliches vor sich hinbrummelnd, tagsüber in seinem Zimmer eingeschlossen, hätte zuvor eine schwere Auseinandersetzung mit seinem Vater gehabt, der sich wie sie auch sehr Sorgen um seinen psychischen Zustand mache und fand, dass er sich endlich in psychiatrische Behandlung begeben müsse. Daraufhin sei es zu einer Schlägerei gekommen.

Der Arzt fährt an den Ort des Geschehens. Die Mutter öffnet die Türe mit sorgenvoller und zugleich ängstlicher Miene. Im Hintergrund sieht man einen Mann, offensichtlich der Vater, der hinter der Wohnzimmertür das Geschehen beobachtet. Vom Sohn ist nichts zu sehen. Die Mutter klopft an seine Zimmertür und kündigt den Arztbesuch an. Zur allgemeinen Verblüffung öffnet der Sohn die Tür und der Arzt spricht ein paar Sätze mit ihm. Auf präzise Fragen gibt der junge Mann präzise Antworten, sodass der Arzt unsicher wird, einen »gewöhnlichen« Familienkonflikt vermutet und darauf hinweist, dass er angesichts der Verfassung des Sohnes keine weiteren Maßnahmen ohne ausdrückliches Einverständnis von ihm treffen könne.

Die Eltern sind konsterniert und schockiert. Kaum befindet sich der Arzt wieder in seinem Fahrzeug, unterwegs zu einem nächsten Notfall, kommt ein Anruf der Polizei, man habe auf einem Platz einen jungen Mann aufgegriffen, der nur in Unterwäsche bekleidet auf einer Bank stehe und eine wirre Rede halte. Der Arzt verschiebt seine Einsatzprioritäten, da sich dieser Platz gleich in seiner Nähe befindet. Bei besagtem jungem Mann handelt es sich um den Klienten, den er vor gut 15 Minuten noch nicht als einweisungsbedürftig betrachtete.

Nehmen Sie die besorgten Angaben aus dem Umfeld eines Erkrankten ernst. Die Angehörigen erleben den Klienten in einem normalen Umfeld und kennen ihn besser als Sie.

DOKUMENTATION Die nachbehandelnden Stellen brauchen ein schriftliches Zeugnis. Dies umfasst den genauen Ort, das Datum und die Uhrzeit des Notfalleinsatzes. Es braucht zudem eine präzise Beschreibung des psychologischen Befundes und des Anlasses für die Zwangseinweisung (Selbst- und/oder Fremdgefährdung) inklusive einer Begründung der erforderlichen Zwangsmaßnahme. Sehr wichtig sind Angaben über eingenommene Medikamente, Drogen und Alkohol (mit Dosierung und Uhrzeit), sonstige gesundheitliche Probleme sowie eine Beschreibung der häuslichen Situation (Ausmaß der Selbstfürsorge und der beobachteten Alltagskompetenz, in der gleichen Wohnung lebende Angehörige, Haustiere) sowie Angaben zu sonstigen Betreuungspersonen (gesetzlicher Beistand, Hausarzt, Zuständige in der Sozialhilfe etc.).

Nach einer Zwangseinweisung ist es immer notwendig, mit den Angehörigen und später auch mit dem – wieder kommunikationsfähigen – Klienten ein Nachgespräch über diesen Einsatz durchzuführen, denn aus der Sicht des Patienten wurde ihm Gewalt angetan. > Nachgespräche, Seiten 93, 96

Im Einweisungszeugnis muss eine präzise Begründung für die Notwendigkeit von Zwang und für die medikamentöse Behandlung stehen, es sollte darin auch eine präzise Beschreibung der erlebten psychosozialen Situation dokumentiert werden und es darf eine Diagnosevermutung enthalten.

Es kann sehr wohl sein, dass Helfende gegen Schluss einer Intervention vor lauter Bäumen den Wald nicht mehr sehen. Checklisten sollen dazu dienen, in Kurzform einen Leitfaden zur Verfügung zu stellen, der auch während einer Intervention benutzt werden kann (siehe Abbildung 10 auf den folgenden Seiten).

ABBILDUNG 10

Checkliste Notfallintervention: Ist die akute Gefährdung behoben?

Erstkontakt mit dem Anmelder
Wer ist Auftraggeber? Wer »Klient«?
An wen soll die Triage delegiert werden?
1. Schritt: Triage
Um welches Schlüsselsyndrom geht es?
Wie dringlich ist der Einsatz?
Bin ich zuständig und kompetent?
Wo und wann und mit wem soll die Intervention stattfinden?
2. Schritt: Vorbereitung
Welche Information brauchen die Anmelder, um das therapeutische Angebot zu begreifen?
Welche Hinweise brauchen die Anmelder, um die Wartezeit ohne weitere Eskalation der Problematik (etwa Suizidalität) zu überstehen?
Bin ich auf Eventualitäten vorbereitet?
Ist genügend Zeit für die Intervention reserviert?
3. Schritt: Setting
Sind die Rahmenbedingungen der Intervention (Setting) und die Rolle des Therapeuten als Gesprächsleiter und Hauptverantwortlicher für die Anwesenden klargeworden?
4. Schritt: Gesprächsintervention
Erfährt der Therapeut in seiner Haltung aktiven Zuhörens bedeutsame Informationen über die Problemsicht des Klienten?
Erkennt der Therapeut Äußerungen, bei denen der Klient seine oder die Grenzen anderer verletzt, die eine äußere Grenzsetzung notwendig machen?

5. Schritt: Abklärung

Was ist der aktuelle Anlass für den seelischen Gleichgewichtsverlust des Klienten?

Was sind die heute aktuellen Probleme?

Wie groß erscheint die aktuelle psychosoziale Kompetenz des Klienten und seines Umfelds?

Was sind sofort nutzbare Ressourcen des Klienten und seines Umfelds?

6. Schritt: Aktuelle Risikobeurteilung und Hilfestrategie

Ist der Klient somatisch sofort abklärungs- oder behandlungsbedürftig?

Wie erheblich ist die aktuelle psychosoziale Störung?

Wie belastbar und kooperativ sind die Angehörigen?

Wie sehr erlebt der Therapeut aufgrund seiner emotionellen Reaktion nach dem Anfangsgespräch und der Abklärung nach wie vor eine Gefährdung?

Insbesondere: Wie groß ist die aktuelle Selbst- und Fremdgefährdung?

Konnten der Klient und sein Umfeld konstruktiv auf die bisherige Intervention reagieren?

Oder ist eine Fremdunterbringung (Freunde, Kriseninterventionsstation) sinnvoll?

Oder ist eine Spitaleinweisung unausweichlich?

7. Schritt: Notfallkonferenz mit Klient und Angehörigen

Welche gesprächsfähigen und konstruktiv auf den Klienten bezogenen Personen sollen einbezogen werden?

Wer kümmert sich während dieses Gesprächs um die übrigen Personen, insbesondere um den Klienten?

Wie wird der Behandlungsplan allgemein verständlich dargelegt?

8. und 9. Schritt: Maßnahmen und Evaluation
... bei ambulanter Vorgehensweise:
Welche sofort wirksamen Entlastungs-, Erholungs- und Entspannungsmaßnahmen sollen ergriffen werden?
Welche Medikation kann eine augenblickliche Entlastung unterstützen?
Ist eine Überwachung organisiert (Sturzgefahr, Aspirationsgefahr)?
Welche Tagesstruktur bis zum nächsten Therapeutenkontakt hilft bei der Erholung der inneren und sozialen Ressourcen?
Welche Aktivitäten helfen dem Klienten, destruktive Muster zu unterbrechen und konstruktive Muster zu unterstützen?
Wer kann im erneuten Notfall sofort kontaktiert werden?
Wer wird wann und wo die Nachbetreuung durchführen?
... wenn eine Fremdunterbringung oder Spitaleinweisung notwendig wird:
Sind die rechtlichen Vorschriften erfüllt?
Muss polizeiliche Hilfe angefordert werden?
Sind die weiterbehandelnden Personen informiert?
Wer führt den Transport ins Spital durch?
***Schlussfrage:* Sind der Klient und sein Umfeld wieder in Sicherheit?**

Vorgehen bei kommunikationsfähigen Klienten in Krisen

Bei einer Krisenintervention außerhalb einer akuten Gefährdung verläuft die zeitliche Staffelung des Vorgehens grundsätzlich so wie bei Notfallinterventionen auch. Was wegfällt, ist der unmittelbare Entscheidungs- und Handlungsdruck. Diese Entlastung sollten Helferinnen und Helfer für ein möglichst gelassenes Vorgehen nutzen.

Einzelberatung

In der ersten Phase geht es darum, eine Verbindung zum Klienten zu schaffen: Dabei kann dem spontanen Redefluss des Anrufers gefolgt werden, statt schon zu sehr das Ruder zu übernehmen, da wegen fehlender akuter Gefährdung kein unmittelbarer Zeitdruck besteht.

In der zweiten Phase, der Phase des Vorbereitens, ist es hilfreich, den Klienten noch stärker als bei der Notfallintervention in die Gestaltung des anzustrebenden Settings einzubeziehen. Der Klient kann gefragt werden, welches Ausmaß an Dienstleistung er im Moment als sinnvoll erachtet. Helfer und Klient können miteinander über alternative Vorgehensweisen verhandeln, auch über den Einbezug von Drittpersonen beim Erstkontakt. Wichtig ist die Klärung des Anliegens des Klienten, die Definition des Angebots des Helfers und seiner Rolle sowie die Zielsetzung des Gesprächs.

In der dritten Phase, der Phase des Verstehens, ist von einer grundsätzlich vorhandenen Kommunikationsfähigkeit und -bereitschaft auszugehen. Die methodische Vorgehensweise bei der Gesprächsintervention wird unten dargestellt.

In der vierten, der Veränderungsphase, wird bei der Krisenintervention in erster Linie mit dem unmittelbar Betroffenen darüber verhandelt, wie weit überhaupt Drittpersonen einbezogen werden.

In der fünften Phase, Verabschieden, kann das zu Ende gehende Gespräch gemeinsam ausgewertet werden.

Bei gesprächsfähigen und kooperativen Klienten gehen die einzelnen Interventionsphasen ineinander über. Im Unterschied zur Notfallintervention ist der Gesprächsstil dialogisch und weniger direktiv. Der Klient wird stärker in die Verantwortung einbezogen.

Diese Vorgehensweise bei der Krisenintervention außerhalb akuter Gefahr bei kommunikationsfähigen Personen möchte ich an einem ausführlichen Beispiel illustrieren.

BEISPIEL

Unangemeldet erscheint ein 52-jähriger Mann im Büro einer Betriebssozialarbeiterin. Er habe soeben seine Kündigung erhalten, sagt er. Er bleibt vor der Bürotür stehen und bittet um einen Termin. Die Sozialarbeiterin erkennt, dass der Mann zwar bedrückt wirkt, dass er aber normal kommunikationsfähig erscheint. Sie sagt ihm, er möge ein paar Minuten draußen warten und könne dann direkt zu einem Gespräch hereinkommen.

So geht die erste Phase (»Verbinden«) unmittelbar in die zweite Phase über (»Vorbereitung«), in der es darum geht, den Gesprächsrahmen zu definieren und den Auftrag zu klären. Damit geht die Intervention bereits in die dritte Phase, der des »Verstehens«.

Die Sozialarbeiterin bittet den Mann herein und beginnt mit: »Bitte schildern Sie mir, was Sie beschäftigt, damit ich Ihr Anliegen verstehen kann. Ich nehme mir jetzt eine Dreiviertelstunde

Zeit, um mit Ihnen die Situation anzuschauen und mit Ihnen zu besprechen, welchen nächsten Schritt Sie jetzt tun können.« Die Sozialarbeiterin schaltet den Anrufbeantworter ein, hört dem Mann erst einmal zu und folgt dem Gesprächsverlauf. Sie braucht kaum mal nachzufragen und hält sich mit Kommentaren zurück, um den Gedankengang des Klienten nicht zu stören.

Der Klient beginnt schließlich zu weinen. Die Sozialarbeiterin zeigt respektvoll und diskret Anteilnahme. Sie gibt ein Papiertaschentuch und sagt: »Es tut mir leid für Sie, was Ihnen jetzt passiert ist.« Dabei verstärkt sie die Gefühlsäußerung des Klienten nicht. Sie fühlt sich ein, ohne ihre eigene Stimmungslage zu verlassen. Ihre ruhige Präsenz und ihr aufmerksames Zuhören sind für den Klienten bereits wertvoll. Mit eigenen, dem Gesprächsstil des Klienten angepassten Worten wiederholt sie in Kürze, was sie aufgenommen hat (aktives Zuhören): »Seit Sie die Kündigung erhalten haben, sind Sie in großer Sorge wegen der Zukunft Ihrer Familie. Sie sind auch wütend darüber, dass Sie es sind, den es nun trifft.« Die Sozialarbeiterin würdigt die Gefühlsreaktionen auf das Erlebnis: »Ich kann nachvollziehen, dass Sie dieses Ereignis überrascht hat und Sie verunsichert. Ich kann auch begreifen, dass Sie jetzt Angst vor der Zukunft empfinden. Ich merke dabei, wie sehr Sie sich um Fassung bemühen und Ihre Verantwortung gegenüber Ihrer Familie im Vordergrund sehen.«

Viele Menschen sind nicht nur durch ein Ereignis überrascht, sondern auch durch ihre eigene heftige Gefühlsreaktion darauf, derer sie sich häufig schämen. Deshalb ist es bereits ein gutes Zeichen, wenn jemand seine Tränen zeigen oder seine Wut in Worte fassen kann.

Erst als sich der Klient gefasst hat, rundet die Sozialarbeiterin mit ergänzenden Fragen ihr Bild ab: »Ist es in Ordnung, wenn ich Ihnen noch ein paar Fragen stelle, damit ich Ihre Situation besser verstehen kann?« Die Sozialarbeiterin fragt nun nach dem momentan wichtigsten Anliegen des Klienten: »Sie haben sich bei mir gemeldet; was ist heute ihr wichtigstes Anliegen an mich?« Sie wiederholt das gehörte Anliegen in eigenen Worten (aktives Zuhören).

Nun erläutert die Sozialarbeiterin ihr Hilfeangebot: »Ich kann Ihnen zuhören, Ihre Situation zu verstehen versuchen, Ihnen Informationen über Ihre Vorgehensmöglichkeiten geben und Sie dabei beraten, und ich kann Ihnen bei Problemen, die meine Möglichkeiten und Befugnisse als betriebliche Sozialarbeiterin übersteigen, weiterführende Informationen geben. Was wäre für Sie angesichts Ihres Anliegens jetzt besonders hilfreich?« Die Sozialarbeiterin bezieht sich also immer wieder auf die Kompetenz des Klienten, der sich im Rahmen eines erläuterten Angebots entscheiden kann.

Daraus entwickeln die Dialogpartner eine Traktandenliste beziehungsweise Tagesordnung und bestimmen das für den Tag wichtigste Thema. Dieses ist das, was im Moment am meisten zu einer psychischen Destabilisierung beiträgt und das mit den verbliebenen Kräften ab sofort angepackt und einem ersten Lösungsschritt zugeführt werden kann. Die Sozialarbeiterin fragt deshalb: »Was haben Sie selbst bis jetzt in dieser Angelegenheit unternommen? Welche weiteren Möglichkeiten haben Sie bereits selbst erwogen?« Die Sozialarbeiterin würdigt die Initiative des Klienten.

Gemeinsam werden die Möglichkeiten des Klienten und deren Umsetzung überdacht. Zugleich ergänzt die Sozialarbeiterin mit eigenen Anregungen die ihr zur Verfügung stehenden Dienstleistungsangebote, falls der Klient etwas nicht aus eigenen Ressourcen heraus bewältigen kann. Die Sozialarbeiterin moderiert dabei das Gespräch, behält den roten Faden und den Zeitrahmen im Auge: »Ich sehe gerade, dass wir jetzt noch zehn Minuten Zeit haben. Gerne würde ich Ihnen anbieten, darüber zu sprechen, was Sie bis zu unserem nächsten Gesprächskontakt – möglich wäre das in einer Woche – unternehmen können.«

Es geht um Konkretes: Wer tut was? Mit welcher Priorität? Bis wann? Es werden auch mögliche Komplikationen besprochen: »Was könnte jetzt noch schieflaufen; was würden Sie dann tun können?«

Allmählich kommt die Sozialarbeiterin zum Abschluss, zur (fünften) »Phase der Verabschiedung«. Sie trifft mit dem Klienten eine Vereinbarung für »Hausaufgaben« und bespricht den nächsten Gesprächstermin. Schließlich lässt sie den Klienten das Gespräch zusammenfassen: »Ich informiere meine Frau heute Abend über meine aktuelle Situation. Anschließend melde ich mich bei meinem Hausarzt, damit er mir ein Schlafmittel verordnen kann, damit ich ein paar Tage wieder gut einschlafen kann. Die nächsten Tage verbringe ich auf eine Art und Weise, von der wir angenommen und besprochen haben, dass ich mich so am besten erholen kann. Ich werde zur üblichen Zeit aufstehen und mit meinem Hund Spaziergänge machen.«

Die Sozialarbeiterin ergänzt an dieser Stelle: »Ja, genau: Ihr Job ist jetzt die Erholung und die Umorientierung. Ich werde mich bei der Personaldirektion erkundigen, welche Einsatzmöglichkeiten in einem anderen Betriebsbereich es für Sie geben könnte. Wir treffen uns am Freitag in einer Woche um 15 Uhr wieder zu einem dreiviertelstündigen Gespräch hier. In der Zwischenzeit können Sie mich jeweils morgens zu den Bürozeiten erreichen, falls Sie noch eine Frage oder ein Anliegen haben. Ich schreibe sie Ihnen auf meine Visitenkarte.«

Nun schließt die Sozialarbeiterin mit der Frage nach der aktuellen

Befindlichkeit des Klienten, was ein wichtiges Kriterium für die Wirkung dieses Beratungsgesprächs ist: »Wie war das Gespräch für Sie? Wie fühlen Sie sich jetzt im Vergleich zum Zeitpunkt des Gesprächsbeginns?« Der Klient fühlt sich erleichtert, dass er seine Verzweiflung geäußert hat und dies von der Sozialarbeiterin verstanden wurde. Er hat wieder mehr Überblick über seine Situation und realisiert, welche die nächsten Lösungsschritte sind. Es ist eine neue Normalität entstanden, er kann sich wieder orientieren und erkennt eine Perspektive.

FOKUSSIERUNG Während eines Krisengesprächs gibt es unterschiedliche Interventionsmöglichkeiten, die zum Ziel haben, die Wahrnehmungen zu sichten und Gefühle zu benennen, die Komplexität der Problematik übersichtlich darzustellen und aktuell Wichtiges von Unwichtigem zu unterscheiden, um schließlich einen Gesprächsschwerpunkt (»Fokus«) zu definieren. In der Krisenintervention werden die reduzierten Kräfte gebündelt, sodass rasch Entwicklungsoptionen erkennbar werden, die die Klientinnen und Klienten ermutigen. Damit kann eine positive Rückkoppelung eingeleitet werden. Besonders hilfreich sind grafische Darstellungsmittel, da sie einen Fokus sinnlich verankern (siehe folgendes Beispiel).

BEISPIEL

Ein 38-jähriger Betriebswirt meldet sich in einer Beratungsstelle, da er in einem schweren Arbeitskonflikt steckt und dringend Beratung braucht. Der Betreffende ist ratlos und hat beginnende Schlafstörungen. Seine Frau hat ihn auf die Adresse der Beratungsinstitution hingewiesen. Bislang habe er sich psychisch gesund gefühlt, habe auch kein Alkoholproblem oder sonstige Auffälligkeiten. Der Psychologe in der Beratungsstelle kann noch in derselben Woche einen Termin anbieten.

Beim ersten Gespräch wirkt der Ratsuchende übernächtigt, bezeichnet sich als ratlos und meint, er schäme sich auch vor seinen beiden halbwüchsigen Kindern, denen er kein verzweifelter Vater sein möchte. Der Berater bittet den Klienten, von seiner aktuellen Lebenssituation zu berichten, von Problembereichen und Ressourcen. Während der Schilderung beginnt der Berater auf einem kleinen Notizblock die ihm wichtig erscheinenden Stichworte und auffällige Formulierungen auf Zettel zu schreiben, die er dann, als nach dem rund zehnminütigen Gespräch eine Pause entsteht, auf dem großen Tisch ausbreitet. Damit entsteht eine Auslegeordnung von Problemen und Ressourcen.
Die bei den verschiedenen Problembereichen angefügten Bewertungen, Assoziationen und Überlegungen gruppiert der Berater zu den entsprechenden Problemstichworten. Dadurch entsteht eine schnell übersehbare Darstellung der aktuell erlebten Situation. Nachdem der Berater Verständnis dafür gezeigt hat, wie der Klient auf die erlebte Problemlage reagiert hat, und auch würdigt, dass er gewagt hat, in dieser Situation Beratung zu suchen, fragt er ihn, welches die im Moment wichtigste »Baustelle« sei. Auf die Gegenfrage, was denn »wichtig« bedeute, erläutert der Berater, dass es um denjenigen Problembereich gehe, der mit den aktuellen Ressourcen des Klienten ab sofort günstig beeinflusst werden kann, sodass davon eine konstruktive Auswirkung auch auf andere Problembereiche entstünde.
Ohne lange zu überlegen, deutet der Klient auf den Problembereich »Betreuung meiner betagten Eltern«. In kurzer Zeit wird deutlich, dass der Klient mit vielen Problemen belastet ist, wobei das emotional am stärksten beanspruchende Thema die Betreuung der Eltern ist, weil er sich dort überfordert fühlt, seinen Geschwistern jedoch diese Überforderung nicht einzugestehen wagt.

Die Betreuung der Eltern abzugeben würde für ihn eine derartig wichtige Entlastung bedeuten, dass er dadurch auch von den beruflichen Belastungen weniger beansprucht wäre und sich die Eheschwierigkeiten, die in der letzten Zeit entstanden sind, reduzieren würden. Seine Frau halte ihm nämlich vor, dass er dauernd erschöpft sei und gar keine Aufmerksamkeit mehr habe für seine Familie.

Nun kann sich der Berater mit dem Klienten darauf konzentrieren, zu besprechen, welche konkreten Bewältigungsmöglichkeiten ihm zur Verfügung stehen, um die Betreuungsaufgabe der Eltern an seine Geschwister abgeben zu können. Die bloße Übersicht über die gesamte aktuelle Situation gibt dem Klienten bereits ein Gefühl von Entwirrung, er sieht die Prioritäten und fühlt sich durch den Berater unterstützt, um die notwendige Abgrenzung von seinen Geschwistern einzuleiten. Der Berater kann die erste Stunde mit einer kleinen Hausaufgabe verbinden, die sich der Klient selbst formuliert.

LÖSUNGSORIENTIERUNG Wichtig ist es, bei Kriseninterventionen lösungs- und ressourcenorientiert zu denken und entsprechende Handlungen anzuregen. > Lösungsstrategien, Seiten 25, 71, 143

Im folgenden Fallbeispiel wird dargelegt, wie die Lösungsorientierung bei der Beratung hilfreich sein kann und Angehörige als wichtige Ressource in die Beratung einbezogen werden können.

BEISPIEL

Die 42-jährige Mutter einer Tochter im frühen Schulalter, verheiratet mit einem beruflich stark beanspruchten Manager einer Großbank, meldet sich beim Sozialdienst des Universitätsklinikums, da sie selbst als Pflegefachfrau auf der chirurgischen Intensivstation arbeitet. Nachdem ihr betagter Vater vor zwei Tagen plötzlich verschwunden war und sich alle sorgten, habe ihr Mann ihn gestern Abend auf dem Dachboden gefunden, erhängt an einem Dachsparren. Sofort wurde auch die Polizei beigezogen, die dann in den Unterlagen des Vaters einen handschriftlichen Abschiedsbrief fand.

Nun fragt die Sozialarbeiterin, was sie in dieser Situation denn für sie tun könne. Die Klientin formuliert, dass sie sich mit ihrer ganzen Not aussprechen möchte. Zwar sei ihr Mann voller Mitgefühl, doch möchte sie ihn und vor allem ihre kleine Tochter nicht zusätzlich mit ihrer heftigen Trauer belasten. Glaubhaft versichert sie: Suizidal sei sie nicht, sie könne sich jederzeit an ihren Mann wenden. Zudem hätte sie eine gute Freundin, die auch schon Kontakt aufgenommen habe. Die Mitarbeiterin des Sozialdienstes schließt eine akute Gefährdung aus und bietet am Folgetag einen Termin an. Um ihr eine Aufgabe zu geben, bittet sie die Klientin, ihr ein paar Fotos ihrer Familie mitzubringen.

Beim Besprechungstermin trifft die Sozialarbeiterin eine erschütterte, jedoch gefasst wirkende Frau. Die Beraterin umreißt die zur Verfügung stehende Besprechungszeit und deutet an, dass sie bei Bedarf bis zu drei Folgegespräche anbieten könne. Damit ist die Klientin einverstanden. Sie erzählt ausführlich von ihrem Vater. Während des Berichts schluchzt sie immer wieder, die Sozialarbeiterin gibt ihr Raum für die Äußerungen, nimmt Anteil. Dabei kann sie beobachten, dass sich die Klientin immer mehr fasst.

Die Sozialarbeiterin versucht sich ein genaueres Bild von den aktuellen Belastungen und Ressourcen zu machen und erfährt, dass die Klientin wegen »Depressionen« (»Alle in meiner Familie hatten gelegentlich depressive Phasen«) vor einem halben Jahr in hausärztlicher Behandlung war und vorübergehend ein schlafanstoßendes Antidepressivum erhielt, das sie immer noch nimmt.

Weiter erfährt sie, dass sie sich an der Entwicklung ihrer kleinen Tochter freut und die Paarbeziehung ohne Probleme ist. Alkohol trinke sie nicht. Ihrer Teilzeitarbeit gehe sie mit Engagement nach. Doch seit dem Todesfall sei ihr diese Anstrengung zu viel und sie fühle sich schnell erschöpft. Sie habe eine Arbeitspause von einer Woche vereinbart.

Die Sozialarbeiterin hört nun vor allem zu und wiederholt mit eigenen Worten, was sie von der Klientin aufgenommen hat, die sich durch dieses aktive Zuhören ohne »gute Ratschläge« verstanden und entlastet fühlt. Die Sozialarbeiterin lässt nach der ersten Besprechungsstunde die Klientin zusammenfassen, was für sie im Gespräch hilfreich war; außerdem weist sie darauf hin, die Klientin solle darauf achten, dass keine neuen Schlafstörungen oder Symptome der früheren Depression auftauchten. Falls dies dennoch geschehe, würde sie der Klientin eine psychotherapeutische Begleitung vorschlagen.

Im Rahmen zweier weiterer Gespräche, die die Beraterin lösungsorientiert führt, indem sie die Klientin ausdrücklich unterstützt, das zu tun, was ihr guttut, erholt sich die Klientin sichtlich. Sie merkt, dass sie den Schock des Verlusts zu überstehen vermag, wenn sie für sich selbst mehr Sorge trägt. Sie beginnt morgens wieder zu joggen und schafft sich mehr eigene Freizeit, die sie mit Malen verbringt, was ihr viel innere Sammlung und Kraft gibt. Früher in erster Linie auf ihre Familienangehörigen bezogen, beginnt sie wieder, mehr mit ihren Freundinnen zu unternehmen.

Sie berichtet jedoch auch, dass sich ihr Mann dennoch Sorgen um sie mache, was die Beraterin zum Anlass nimmt, diesen ins Abschlussgespräch einzuladen. Im Rahmen dieser »Konferenz« lässt sie die Klientin nochmals durchgehen, welche Maßnahmen und welche Haltung für sie in der gegenwärtigen Situation hilfreich sind, und lässt sie artikulieren, wie sie sich vom Ehemann in dieser Situation konkret unterstützt fühlt, sodass dieser weiß, was er für sie tun kann. Der Partner staunt über den inneren Aufbruch seiner Frau und ist gleichzeitig froh, dass auch die Möglichkeit eines Rückschlags angesprochen wird. Dabei achtet die Sozialarbeiterin darauf, dass der Ehemann nur Hilfezusagen gibt, die tatsächlich realistisch erscheinen. »Rückfall«-Szenarien werden besprochen.

In einer abschließenden Evaluation zeigen sich beide Partner erleichtert. Sie wissen, dass sie sich bei einer neuen Notsituation wieder an die Sozialarbeiterin wenden können. Die Intervention wird damit ausdrücklich abgeschlossen.

Dieses Beispiel illustriert: Im Gespräch entstehen neue Gesichtspunkte und Erkenntnisse; Sachverhalte und Beziehungen werden neu bewertet. Dadurch ergeben sich andere Betrachtungsweisen der Problematik, woraus neue Lösungsansätze entstehen können. Festgefahrene Meinungen, fixierte Bedeutungszuschreibungen und starre Bewertungen werden erschüttert.

Der Berater begleitet bei der Krisenbewältigung den gedanklichen Prozess der Klientinnen und Klienten, indem er deren Gefühlsreaktionen als wichtige Hinweisgeber aufgreift, um Schwerpunkte der Problematik und mögliche Auswege zu erkennen; er stellt unerwartete Fragen und stellt den Klienten andere Sichtweisen zur Verfügung, die sie aufgreifen oder zurückweisen können. Einige dieser Interventionsmöglichkeiten seien hier näher umschrieben:

- Eingrenzen aufs aktuell Lösbare:

  DER BERATER: »Sie haben mir eine ganze Reihe von Sorgen geschildert, die Sie quälen. Welches von diesen Problemen hat – bis wir uns wiedersehen – am meisten Auswirkung auf Ihren Alltag und Ihre Befindlichkeit?«

- Banalisieren und konkretisieren von Verallgemeinerungen, Kategorisierungen, überhöhten Selbstansprüchen und Selbstentwertungen:
  DIE BERATERIN: »Sie erleben sich als völligen Versager im Studium. Wo genau nehmen Sie Ihre Schwächen wahr? Bitte nennen Sie mir konkrete Beispiele!« Und nach einer Würdigung der angemessenen Selbstkritik: »Wie erklären Sie sich, dass Sie die ersten beiden Prüfungen mit guten Noten bestanden haben?«
- Katastrophenfantasien ansprechen:
  DER BERATER: »Was ist die schlimmste Reaktion, mit der Ihr Vorgesetzter auf diese Nachricht reagieren könnte – und was ist das Schlimmste, das er tatsächlich, so wie Sie ihn kennen, sagen würde?« Verzweifelte neigen zu radikalem Pessimismus, weil sie der Mut verlassen hat, von sich aus auf etwas Positives zu hoffen. Hoffnung braucht Kraft, die beispielsweise depressive Menschen nicht mehr haben. Ein zuversichtlicher und zugleich realistischer Gesprächspartner kann die verborgene Hoffnung stützen.
- Wenn Klienten von sich aus konstruktive Lösungsansätze zu formulieren beginnen, sollten diese aufgegriffen werden:
  DIE BERATERIN: »Was wäre der erste konkrete Schritt, den Sie in diese Richtung tun könnten?« Oder: »Was wäre die allerwichtigste konkrete Unterstützung durch Drittpersonen, damit Sie diesen ersten Schritt wagen?« An der positiven Selbstwahrnehmung und an der Selbstfürsorge kann weitergearbeitet werden: »Was tut Ihnen gut? Woran erkennen Sie dies?«

Kommunikationsfähige und kooperative Klientinnen und Klienten sprechen gut an auf eine lösungs- und ressourcenorientierte, thematisch eingegrenzte, das Umfeld einbeziehende Gesprächsführung.

Paar- und Familiengespräche

Angehörige sind in Krisensituationen stets mitbetroffen, wenn professionelle Hilfe aufgesucht wird. Das Aufsuchen einer Einrichtung ist ein Hinweis auf eine erhöhte Eskalationsstufe der Krise, weshalb häufig Beziehungskonflikte beobachtet werden können.

In vielen Fällen ist es dennoch ausreichend, sich bei der Intervention in erster Linie an die hauptbetroffene Person, den Klienten, zu richten. Dies ist dann der Fall, wenn dieser Mensch besonders stark von einer Notlage betroffen ist, sei dies nun eine Krankheit, eine berufliche Problematik oder eine Trennungssituation in der Partnerschaft.

Anders ist es, wenn die Krise in erster Linie eine Beziehungskrise ist – man denke auch an mitbetroffene Kinder. Bei individueller Dauerbelastung gerät immer das umgebende Beziehungsnetz in eine kritische Verfassung. Deshalb ist sowohl bei Beziehungskrisen als auch bei länger andauernden individuellen Notsituationen stets das persönliche Umfeld in die Intervention einzubeziehen. Doch wie lässt sich das machen?

GESPRÄCHSERÖFFNUNG Ein Krisengespräch wird in einem solchen Rahmen von Beginn an moderiert, damit der Helfer die Situation unter Kontrolle halten kann. Ansonsten gerät man schnell in die Gefahr, bloß Zeuge einer zwar interessanten Gruppendynamik zu werden, kaum jedoch Einfluss auf das Krisengeschehen zu gewinnen. Der Moderator begrüßt, nimmt mit allen einzeln Kontakt auf, erkundigt sich nach dem Befinden und den Anliegen der Einzelnen, begleitet die Besprechung der »Tagungsordnung«, hütet das angesprochene Gesprächsthema, um den roten Faden nicht zu verlieren, setzt die Gesprächsregeln durch, begleitet die Klärung und Lösungsfindung und beachtet den Zeitrahmen, sodass das Gespräch nicht abrupt abgeschlossen werden muss.

Die Anwesenden werden nicht gleich als Gruppe angesprochen, sondern es wird versucht, mit jeder einzelnen Person kurz ein paar Worte zu wechseln. Es dürfen durchaus banale Dinge sein, die da ausgetauscht werden. Das soll signalisieren, dass sich der Helfer auf alle einzelnen Anwesenden bezieht.

Die Grundhaltung des systemisch intervenierenden Helfers ist wichtig. Helfende sollten versuchen, sich in die Perspektiven der einzelnen Betroffenen hineinzuversetzen (»Allparteilichkeit«). Ihre Anteilnahme äußern sie nicht durch Bewertungen, sondern durch aktives Zuhören, indem sie zu verstehen geben, wie sie die einzelnen Anliegen verstanden haben. Eine Ausnahme von dieser neutralen Haltung gibt es bei offensichtlichen Grenzverletzungen wie Gewalt und Beschimpfung.

KOMMUNIKATIONSREGELN Der Bruch grundlegender Kommunikationsregeln, bedrohliches Verhalten oder entwürdigende Äußerungen brauchen die entschiedene Grenzsetzung durch den Helfer, wie es schon weiter oben dargestellt wurde. Dabei bewerten Helfende nie eine Person, sondern beziehen sich einzig auf das beobachtete Verhalten. > Kommunikationsstörungen, Seite 67, 106

Ein Beispiel für eine Intervention bei Beschimpfung einer Partnerin: »Ich respektiere, dass Sie durch die Äußerungsweise Ihrer Frau wütend geworden sind. Ich bin jedoch nicht damit einverstanden, dass Sie das auf diese Weise ausdrücken, da ich aus Erfahrung weiß, dass dadurch keine hilfreiche Entwicklung möglich ist. Ich traue Ihnen grundsätzlich zu, dass Sie sich auf eine andere Weise ausdrücken können. Ich bitte Sie, das neu zu formulieren.« Eine solche grundsätzlich neutrale, jedoch bei Grenzüberschreitungen klar Position beziehende Interventionsweise konstituiert Autorität, die bei grenzverletzendem Verhalten unabdingbar ist.

GESPRÄCHSRAHMEN In einem weiteren Schritt wird analog zur bereits weiter oben geschilderten drehbuchartigen Vorgehensweise ein Setting definiert und die Anwesenden werden gefragt, welches Anliegen sie haben, das in der zur Verfügung stehenden Zeit realistischerweise besprochen werden kann, sodass unmittelbar nach diesem Gespräch auch ein Entwicklungsschritt möglich ist. Hier gilt wieder das an anderer Stelle Gesagte, dass nämlich der Moderator des Gesprächs eine klare Vorstellung davon haben muss, welche Themen prioritär sind. Priorität haben stets Elemente, die zu akuter Gefährdung führen könnten beziehungsweise die Belastungen erhöhen, anstatt sie zu reduzieren.

VERTRAUENSBILDUNG In der Hitze der Auseinandersetzung verlieren die Konfliktpartner schnell die Übersicht und verkennen dabei grundlegende psychologische Regeln. Deshalb ist es sinnvoll, dass der Moderator die psychologischen Leitlinien erläutert, nach welchen er sich richtet, sobald entsprechende Themen angeschnitten werden, damit alle eine lösbare Aufgabe haben und sich Vertrauen bilden kann.

Psychologische Leitlinien bei eskalierenden Paar- oder Gruppenkonflikten sind:

- Bedürfnis nach Abgrenzung hat Vorrang vor Nähe: Vertrauen lässt sich nicht erzwingen.
- Bei schwerem Streit kann man nicht mehr diskutieren – wenn man nicht mehr diskutieren kann, ist Distanz angesagt.
- Eine Wiederannäherung ist erst dann sinnvoll, wenn von beiden Konfliktparteien die Spielregeln für den Kontakt aus der Distanz eingehalten werden.
- Streitende oder sich seelisch verletzende Personen können nicht zugleich einander helfen: Professionelle Helfer müssen in solchen Fällen außerhalb der Konfliktkonstellation nach unterstützenden Beziehungen suchen.

- Jeder ist für die Sorge um sein eigenes Wohlergehen grundsätzlich selbst zuständig. Dabei helfen ihm zusätzliche Betreuer außerhalb der Partnerschaft, der Familie oder der Bezugsgruppe.
- Verbleibende Feindseligkeit ist Ausdruck davon, dass noch zu viel Nähe und gemeinsame Verbindlichkeit besteht.
- Beziehungsveränderungen sind erst möglich, wenn sich einer von sich aus zu einer Veränderung entschließt.

GESPRÄCHSTHEMEN In einem weiteren Schritt wird dasjenige Thema, für das sich mehr als eine Person entscheidet, im Hinblick auf das Allerwichtigste abgearbeitet: Reduzierung von Gefahr im Notfall beziehungsweise Reduktion von Spannung bei der Krise außerhalb einer akuten Notlage.

Während des Gesprächs sollte der Moderator stets auf die anfänglich definierte Thematik unter dem Aspekt einer für das jetzige Gespräch festgelegten pragmatischen Zielsetzung fokussieren. Bei einem heftig zerstrittenen Paar heißt das etwa: Wer übernachtet in der folgenden Nacht wo, um weitere Gewalttätigkeiten zu vermeiden? Wer kümmert sich um die Kinder? Der Moderator begleitet die Äußerungen der Sprechenden, indem er sorgfältig darauf achtet, dass die Botschaften vom Gegenüber so verstanden werden, wie das der Sender der Botschaft tatsächlich gemeint hat.

Außerhalb der akuten Situation ist es wichtig, dass weitere Belastungen reduziert werden, dass nicht auf Schuldfragen, sondern auf Lösungen fokussiert wird, dass Verwirrendes geklärt wird und eskalierende Formulierungen in angemessene Ausdrucksweise umgesetzt werden. Die Erfahrung zeigt, dass ein Großteil systemischer Konflikte durch die bloße Belastungsreduktion entschärft werden kann, sodass sogar hochneurotisch wirkende Verhaltensweisen einzelner Familienmitglieder oder gar an Persönlichkeitsstörungen erinnernde Symptome wie durch ein Wunder verschwinden. Wenn dem nicht so ist, obschon Belastungen wesentlich reduziert werden, braucht es ein Überdenken der bisherigen Vorgehensweise, vor allem aber den Zuzug eines in systemischer Therapie erfahrenen Psychotherapeuten.

Dies können Helferin oder Helfer ankünden mit den Worten: »Ich kann Sie in drei Gesprächen zu anderthalb Stunden dabei begleiten, die wichtigsten Fragen, die zur Krise geführt haben, zu klären und Lösungsschritte in die Wege zu leiten. Beim dritten Gespräch können wir eine Zwischenbilanz ziehen, um zu sehen, ob sich dieses Vorgehen bewährt. Falls dies nicht der Fall ist, würde ich Sie an einen speziell qualifizierten Systemtherapeuten / Familientherapeuten weiterverweisen.«

Es ist sinnvoll, dass Krisenhelfer bezüglich dieser Zielsetzung bescheiden auftreten, denn es gibt eine ganze Reihe von Bedingungen, die im Rahmen einer kurzzeittherapeutischen Intervention nicht gelöst werden können. Einzelne Mitglieder der Bezugsgruppe können eine schwere psychische Störung aufweisen, sodass ihre Selbstheilungskraft beziehungsweise ihre Anpassungsfähigkeit auf eine veränderte Situation massiv eingeschränkt ist. Es gibt Menschen mit Persönlichkeitseigentümlichkeiten, die sich in eine dysfunktionale Rolle eingelebt haben und einer Veränderung dieser Rolle Widerstand entgegensetzen, da sie erleben, dass sie durch ihre Dysfunktionalität Macht ausüben können, mit der sie im System eine wichtige Rolle spielen.

Damit ist die das Umfeld einbeziehende Krisenintervention durch nicht systemisch ausgebildete Helfer einzugrenzen auf die Einübung von grundlegenden Kommunikationsregeln sowie auf Belastungsreduktion und Besprechung pragmatischer Lösungen.

Die Arbeit mit mehreren Personen gleichzeitig erfordert in der Krise eine aktive Gesprächsmoderation zur Einhaltung grundlegender Kommunikationsregeln, damit konkrete Lösungen für die aktuellen Gefährdungs- und Belastungsfaktoren angesprochen werden können.

Umgang mit »schwierigen« Personen

Menschen empfinden wir zum Beispiel dann als »schwierig«, wenn sie mit uns fortwährend in einen Machtkampf treten möchten oder sich umständlich geben, dauernd widersprechen, einfach nur schweigen (ohne dass sie unter einer psychotischen Störung leiden) oder sich nicht entscheiden können. Dies erfordert eine besonders geduldige Vorgehensweise. Risikopersonen sind Klientinnen und Klienten mit chronischer Suizidalität und Selbstverletzung, Menschen, die sich über andere Helfer beklagen, Personen, die fortlaufend Kommunikationsregeln verletzen oder die von massiven Konflikten mit mehreren Drittpersonen berichten.

GESPRÄCHSHALTUNG Grundsätzlich bewährt es sich, wenn sich Helfende nicht in Diskussionen verwickeln lassen, sondern ihre Position mit einer Ich-Botschaft darlegen, wenn sie das Gegenüber nicht interpretieren, sondern ihre Wahrnehmungen sachlich schildern, sich nicht ausführlich rechtfertigen, sondern nüchtern erläutern, die Gesprächspartner nicht mit einem Befehlston provozieren, sondern »bitten«, bei Grenzüberschreitungen nicht schimpfen, sondern konfrontieren, wobei »Konfrontation« bedeutet, auf der einen Seite die Grenzen klar zu ziehen, auf der anderen Seite konstruktive Ansätze des Klienten zu würdigen.

Eine gut abgegrenzte Gesprächshaltung in nüchternem, geduldigem Ton ist angezeigt. Dabei sollte man entstehende »Missverständnisse« oder gar verzerrende Umdeutungen von Äußerungen sofort richtigstellen.

VERMEIDUNG VON MACHTKÄMPFEN Es gibt verschiedene Interventionsmöglichkeiten, um einem Machtkampf zu entgehen. Man kann beispielsweise anbieten, sich überflüssig zu machen.

BEISPIEL

Die Betreuerin sagt zu einem Klienten, der von einer juristischen Instanz zur Beratung geschickt wurde, sich allerdings unmotiviert zeigt, die aufgetragene Dienstleistung in Anspruch zu nehmen: »Wie kann ich Ihnen helfen, dass Sie die Vormundschaftsbehörde wieder loswerden?« Dabei bietet sie dem Mann an, ihn so weit zu unterstützen, dass er die Bedingungen der Juristen einhalten kann – natürlich ohne etwa Beihilfe zur Umgehung der Anordnung zu leisten! Dem Mann leuchtet ein, dass ihn das entlasten würde, und beginnt zu kooperieren.

Man kann die professionelle Ohnmacht erklären, um einen Vorwurf an sich vorbeiziehen zu lassen.

BEISPIEL

Ein Klient versucht, auf die Beraterin Druck auszuüben. Die Beraterin sagt: »Ich habe als Mitarbeiterin der Institution die Weisung, keine entsprechenden Versprechungen zu machen. Ich kann Ihnen da nicht weiterhelfen. Ich kann Ihnen jedoch anbieten, dass wir darüber sprechen können, wie Sie mit Ihrem Problem effizienter klarkommen.«

Bei kämpferischen Äußerungen der Klienten können Helfende deeskalierend einwirken.

BEISPIEL

Der Berater zu einem Klienten, der fortwährend widerspricht: »Sie äußern hier eine gegenteilige Ansicht. Wir haben zu diesem Punkt unterschiedliche Meinungen.«

Bei Zurückweisungen von Angeboten durch den Klienten ist es sinnvoll, nicht noch zusätzliche Angebote zu machen, sondern zurückzufragen.

BEISPIEL

Der Berater zur unzufriedenen Klientin: »Dies ist das Angebot, das ich Ihnen machen kann. Etwas anderes kann ich Ihnen nicht anbieten. Was würden Sie an meiner Stelle jetzt tun?«

Bei Beschimpfungen und Ähnlichem bewährt sich eine rasche, energische, jedoch ruhige Konfrontation.

BEISPIEL

»Diese Beschimpfung meiner Mitarbeiterin akzeptiere ich nicht. Wir arbeiten als Team zusammen. Ich schätze meine Kollegin als kompetente Person, die sich für Sie einsetzt. Es ist mir wichtig, dass Sie Ihre Bemerkung zurücknehmen, bevor wir weitersprechen.«

Oder: Der Berater reagiert nach einer beschimpfenden Äußerung durch einen Klienten prompt und deutlich: »Stopp! Diese Äußerung nehme ich nicht hin. Es gehört nicht zu meiner Aufgabe, mich von Ihnen beschimpfen zu lassen. Ich möchte, dass Sie sich entschuldigen, und ich bitte Sie, das Gespräch in einem anderen Ton weiterzuführen. Das traue ich Ihnen zu!«

Grenzüberschreitende oder manipulierende Klientinnen und Klienten, die nicht absichtlich Dienstleistungen missbrauchen, sind froh, wenn man ihnen auf faire und entschiedene Weise Grenzen setzt. Wenn diese Grenzen nicht respektiert werden, zeigen nichtpsychotische Klienten, dass sie nicht wirklich an einer Hilfestellung interessiert sind.

Bei einem fordernden Klienten mit grenzüberschreitenden Ansprüchen zu Beginn des Kontakts kann man eine realistische Entscheidungsalternative vorlegen. Dazu ein Fallbeispiel in drei Akten.

BEISPIEL

Der Berater zu einem Anrufer, der sich mitten in der Nacht meldet und sich darüber beklagt, dass er nicht schlafen könne: »Es ist jetzt mitten in der Nacht und Sie und ich sind müde. Mein Angebot ist, dass ich Ihnen jetzt eine Viertelstunde zuhöre oder Sie morgen zu uns in die Sprechstunde kommen. Was hilft Ihnen mehr?«

Falls sich der Klient für ein sofortiges, 15-minütiges Gespräch entscheidet, kann man sagen: »Ich werde Ihnen jetzt eine Viertelstunde lang zuhören und mich anschließend wieder verabschieden.«

Daraufhin hört der Berater exakt eine Viertelstunde zu. Während des Gesprächs wiederholt er in knappen Worten, was der Klient berichtet hat.

Bei weiterhin unzufriedenen Klienten kann er Fragen stellen, wodurch die Klienten mit einem konkreten Hinweis Mitverantwortung übernehmen müssen: »Wenn Sie morgen noch ein weiteres Gespräch möchten, so bin ich darauf angewiesen, von Ihnen zu erfahren, was konkret Ihnen bei unserem Gespräch geholfen hat.«

Bei verwirrenden oder unklaren nonverbalen Äußerungen empfiehlt es sich, nicht sofort zu interpretieren, sondern die Absichten näher zu erkunden.

BEISPIEL

Der Berater zu einem unerklärlich immer wieder weinenden Anrufer: »Sie weinen immer wieder. Da ich Sie nicht kenne, weiß ich nicht, was dies bei Ihnen bedeutet. Ich kenne Menschen, die drücken damit Traurigkeit aus, andere drücken eine Erleichterung aus, dass Ihnen jemand zuhört; wieder andere bauen – wie man sagt – nahe am Wasser. Wie ist das bei Ihnen?«

Menschen mit einer schwierigen Persönlichkeit brauchen eine Information darüber, wie sie mit uns Helfenden umgehen müssen, damit wir ihnen auch helfen können. Anerkennen Sie auch kleine Zeichen der Kooperation.

Bei der Krisenintervention außerhalb einer akuten Gefährdung kann die folgende Checkliste helfen, die Übersicht zu behalten.

ABBILDUNG 11

Checkliste Krisenintervention: Nimmt psychische Stabilität zu?

Aktuelles Problem konkret umschreiben und verstehen
Wichtigste seelische und soziale Belastungsgrößen (Krisenanlass, konkret umschreibbare Hintergrundbelastung)?
Psychiatrische Beurteilung?
Problem- und Lösungsdynamik (was trägt zu Verschlimmerung, was zu Verbesserung bei?)?
Ausdrückliches Anliegen des Klienten?
Was ist das realistische Angebot des Therapeuten?
Therapieziel auf Krisenbewältigung eingrenzen
Was kann bis wann verändert werden? Habe ich einen Zeitrahmen gesetzt?
Was kann realistisch innerhalb der ersten 24 Stunden mit den noch vorhandenen Kräften umgesetzt werden, was zu einer spürbaren Entlastung führt?
Was ist der erste kleine, ganz praktische Schritt in diese Richtung?
Erfolgs- und Misserfolgskriterien? Woran erkenne ich zunehmende psychische Stabilität?
Behandlungsalternativen und -ergänzungen?

Setting pragmatisch festlegen
Was ist Thema der Krisenintervention?
Wie viele Konsultationen sind dieser Fragestellung angemessen?
Selbstverantwortung des Klienten? Rolle der Angehörigen, (wie) sollen sie einbezogen werden?
Setting flexibel halten: bei Bedarf Telefonkontakt. Habe ich die Spielregeln angesprochen?
Realitätsbezogene, ressourcen- und lösungsorientierte Haltung einnehmen
Fördere ich wirklichkeitsnahe, aufs Hier und Jetzt bezogene Wahrnehmung?
Setze ich bei Entwertung und Gefährdung Grenzen?
Unterstütze ich den Klienten dabei, die Belastungen zu vermindern?
Anerkenne ich die konstruktiven Bemühungen des Klienten?
Beziehe ich die bedeutungsvollen Angehörigen angemessen in die Intervention ein?
Ermuntere ich dazu, neue Lebensbewältigungsmöglichkeiten zu erproben?
Gibt es eine Möglichkeit, mit Medikamenten vorübergehend zu unterstützen?
Habe ich mögliche Rückschläge und deren Bewältigung vorbesprochen?
Veränderung evaluieren
Evaluiere ich den Behandlungserfolg gemeinsam mit dem Klienten?
Gebe ich dem Klienten zu erkennen, welchen Beitrag er als Akteur der Veränderung leistet?
Übertrage ich dem Klienten entsprechend seinen Fortschritten mehr Verantwortung?
***Schlussfrage:* Nimmt die psychische Stabilität des Klienten und seines Umfelds zu?**

Selbsthilfe für Helferinnen und Helfer

Das psychische Gleichgewicht der Helfenden ist bei jeder therapeutischen oder beraterischen Intervention Voraussetzung für eine konstruktive Hilfestellung. Weil es damit um etwas Persönliches von uns Helferinnen und Helfern geht, möchte ich Sie in diesem Kapitel direkt ansprechen.

Die Selbsthilfe beginnt schon vor der Intervention. Während der Intervention ist Ihre Gefühlslage ein wichtiger Hinweis auf den Zustand Ihres psychischen Gleichgewichts. Je nach Ihrer Befindlichkeit sind während der Intervention kleine Anregungen hilfreich, die zum Ziel haben, dass Sie selbst wieder gelassener werden. In jeder Phase der Intervention ist die multiprofessionelle Zusammenarbeit ein Raster, innerhalb dessen Sie sich orientieren können. Ohne kooperative Zusammenarbeit scheitert die Krisenhilfe in komplexen Situationen. Und die meisten sozialpsychiatrischen Fragestellungen sind komplex, denn sie betreffen mehrere Lebensbereiche und damit mehrere Personen des Hilfenetzes.

Eigenen Krisen und Burn-out vorbeugen!

Krisen entstehen bei qualitativer und quantitativer Überforderung, wenn die bisherigen Möglichkeiten der Problembewältigung aus irgendeinem Grund nicht mehr hinreichend greifen. Dies gilt für Klienten genauso wie für Helfer. Obschon Krisen etwas Normales sind, sind diejenigen kritischen Situationen, die Ihnen als Professionelle begegnen, ein Hinweis auf eine subjektive Notsituation. Nehmen Sie diese subjektive Not, die meist auch eine Not des näheren Beziehungsumfeldes ist, ernst, indem Sie den eigenen Hilferuf durch angemessene Beachtung würdigen.

ZEIT UND GEDULD Ein alarmierter Helfer sollte sofort genügend Zeit für sich schaffen, um die Anliegen der Klienten aufmerksam aufnehmen zu können. Dieser zeitliche Spielraum ist Voraussetzung für die eigene Gelassenheit. Bei akuter psychischer und sozialer Not einfach abzuwarten wird von Betroffenen zudem als zynisch empfunden, sodass Sie bereits zu Beginn eine wenig kooperationsbereite Person als Gegenüber hätten. Auch jemand mit chronischer Suizidalität und wiederholt selbstverletzendem Verhalten befindet sich in akuter Not – in *chronisch* akuter Not. Indem Sie sich durch Umstellung Ihrer Agenda bereits vor der Intervention genügend Zeit nehmen, sich gedanklich auf die vermutlich anzutreffende Situation vorbereiten und indem Sie sich erlauben, weitere Hilfen, etwa die der Polizei, beizuziehen, verschafft Ihnen dies bereits eine günstige Ausgangssituation.

Ihre Haltung aus Respekt und Gelassenheit ist bereits die halbe Hilfe. Sie werden erstaunt sein, wie dankbar Menschen Ihre ruhige Hilfestellung annehmen können.

Genügend Zeit einplanen – und die Aufgabe wird leichter!

INNERE HALTUNG Vergessen Sie nicht, dass Sie in einer Krisensituation und erst recht in einer Notfallsituation keine anspruchsvollen psychotherapeutischen Vorgehensweisen einsetzen sollten, die nämlich bei den Klientinnen und Klienten psychische Stabilität voraussetzen würden. Menschen in einer Krise sind nicht normal belastbar, sie brauchen unmittelbar Unterstützung, Entlastung, Vereinfachung, sie brauchen Struktur und Überblick sowie Distanz zu den sie im Moment am meisten bedrängenden Problemen. Stellen Sie sich vor Beginn der Intervention darauf ein: Moderieren Sie die Situation von Beginn an.

Setzen Sie aktiv Prioritäten. Vereinfachen Sie. Leiten Sie sofort wirksame Entlastungsmaßnahmen ein (dies betrifft auch die Verabreichung vorübergehend nicht mehr eingenommener, jedoch zur psychischen Stabilisierung notwendiger Medikamente), sodass innere und äußere Spannung reduziert wird.

Entsprechend ist das Forcieren einer emotionalen Katharsis – ein hemmungsloses Aussprechen, Ausweinen, Austoben – nicht angezeigt. Derartige Vorgehensweisen führen zu einer zusätzlichen emotionalen Belastung und sind nicht hilfreich. In Beziehungskonflikten ist dies besonders wichtig. Hier müssen die Konfliktpartner lernen, »heiße« Themen zurückzustellen, sich abzugrenzen und die Abgrenzung des anderen zu respektieren, zum Beispiel wenn sich die angesprochene Person bei der Erörterung einer Frage überfordert fühlt.

LÖSUNGSORIENTIERUNG Wagen Sie, in erster Linie an Ihr eigenes psychisches Wohlbefinden zu denken. Versuchen Sie, sich deshalb auch in aufwühlenden Situationen zu vergegenwärtigen, dass Sie nur zuständig sind für professionelle Aufgaben und Sie nicht derjenige sind, der endlich Gerechtigkeit und Chancenausgleich schafft. Wagen Sie, dies allen kommunikationsfähigen Beteiligten deutlich zu machen. Sie sind kein Retter, kein vorbeifliegender Schutzengel, Sie sind nicht zuständig für die Reparatur eines bereits seit Jahren wirkenden Schicksals. Sie sind nur zuständig für lösbare Aufgaben bis zum nächsten Besprechungstermin. > Lösungsstrategien, Seiten 25, 71, 125

Small is beautiful! Weniger ist mehr! Nur lösbare Aufgaben annehmen!

Beachten Sie, dass in jeder kritischen Situation außerhalb akuter Lebensgefahr die meisten kommunikationsfähigen Menschen noch über innere Ressourcen verfügen. Auch Verzweifelte haben, wenn sie mal erleben, dass sie verstanden werden, hilfreiche Ideen. Fragen Sie nach diesen Ideen, fragen Sie nach früher Bewährtem, erkundigen Sie sich nach unterstützenden Personen, anerkennen Sie konstruktive Beiträge und seien Sie bereit, die Dankbarkeit Ihrer Klienten Ihnen gegenüber aufzunehmen. Sie werden erleben, wie viel Selbstheilungskräfte in Menschen stecken können, wenn sie sich nicht mehr in akuter Not erleben und ein realistisches und grundsätzlich zuversichtliches Gegenüber vor sich haben.

Eigene Leistungsgrenzen zu respektieren und Selbstheilungskräfte der Klienten zu unterstützen entlastet auch den Helfer!

Es ist dabei wichtig, nicht naiv zu sein. Wenn Sie als Notfall- oder Krisenhelfer Zeuge einer seit Monaten oder gar Jahren andauernden katastrophalen Entwicklung werden (Vernachlässigung von Kindern, sexueller Missbrauch etc.), wird mit großer Wahrscheinlichkeit das System nach der Krisenintervention in seine ursprüngliche destruktive Dynamik zurückfallen. Hier kann es ein Glück sein, dass Außenstehende Zeugen von unsäglichen, unzumutbaren Verhältnissen werden, sodass durch die Einleitung von sorgfältig multidisziplinär geplanten Maßnahmen konstruktivere Entwicklungen möglich werden. Reduzieren Sie deshalb in solchen Fällen Ihre Erwartungen an die Wirkung der Intervention und bleiben Sie realistisch. Dies gilt auch für Zwangseinweisungen. Sie werden erfahren, wie entlastend es für Angehörige und letztlich auch für die direkt Betroffenen ist, wenn ein länger andauerndes Desaster durch eine sorgfältig und entschieden durchgeführte Intervention beendet werden kann.

Stellen Sie an sich und andere realistische Erwartungen. Würdigen Sie auch kleine Schritte – auch Ihre eigenen kleinen Schritte.

Sich Überforderung eingestehen!

Auch der Notfall- und Krisenhelfer kann in Bedrängnis geraten. Dies ist Ausdruck eines Missverhältnisses zwischen Anforderungen und Belastungen einerseits, Ressourcen und Kompetenzen andererseits. Allen Krisenhelfern kann dies geschehen. Heftige Gefühle wie Wut, Hass, Ekel oder Ambivalenz sind Zeichen einer beginnenden Überforderung, ein Hinweis dafür, dass Sie mehr innere oder äußere Distanz brauchen, insbesondere den Einbezug einer Drittperson. Es ist in einer solchen Situation professionell, die eigene Gefühlslage zu erkennen, ernst zu nehmen und Maßnahmen zu treffen, die geeignet sind, uns in eine bessere Verfassung zu bringen.

Sich zu helfen und sich helfen zu lassen ist professionell!

ANGST Gefühle von Angst sind ein Zeichen dafür, dass Sie sich in einer gefährlichen Lage befinden könnten. Nehmen Sie das stets ernst. Wenn Sie gefährdet sind, müssen Sie sich wieder in eine sichere Situation begeben und weitere Interventionen erst unter Einbezug von helfenden Dritten durchführen. Deshalb sollten bei geringem Verdacht auf einen gefährlichen Verlauf die Polizei und weitere Hilfskräfte beigezogen werden, damit Sie in jedem Fall handlungsfähig bleiben. Sicherungsmaßnahmen haben Priorität vor allen übrigen Aufgaben. > Eigene Angst, Seite 87

AMBIVALENZ Die schwierigste Gefühlsreaktion, die beim Helfer in einer Notfall- oder Krisensituation entstehen kann, ist die Ambivalenz, die Unentschiedenheit, die bis zu einem Gefühl der Verwirrung und Blockade reichen kann. Dieses Gefühl wird vornehmlich durch Klientinnen und Klienten ausgelöst, die ambivalente Signale senden, beziehungsweise solche, die chronisch akut erkrankt sind. Es sind dies meist Menschen mit einer Persönlichkeitsstörung, Personen also, die zwar kommunikationsfähig sind, bei denen eine Krisenintervention jedoch nur eine kurzfristige Wirkung zeigen wird. Solche Personen können uns im Ungewissen lassen, ob wir uns wirklich auf sie verlassen können, bis der nächste Betreuungskontakt stattfindet – zum Beispiel bei der Aushandlung eines Non-Suizid-Vertrags bei chronisch Suizidalen.

Länger dauernde Situationen von Ratlosigkeit können ein Umfeld, etwa eine Familie, auch spalten, sodass die verschiedenen Familienmitglieder Sie mit entgegengesetzten Erwartungen bestürmen können. Es ist hilfreich, dass Sie als Helferin oder Helfer in einer solchen Situation darauf bestehen, dass der Klient und sein Umfeld Sie überzeugen müssen, dass bis zum nächsten Kontakt keine akute Selbst- und Fremdgefährdung mehr besteht. Es trägt also nicht der Helfer die Beweislast, dass keine akute Gefahr (mehr) besteht, sondern der Klient und sein Umfeld haben die Aufgabe, den Krisenhelfer das Vertrauen in die Verlässlichkeit einer solchen Vereinbarung spüren zu lassen.

Es bewährt sich, solche Klienten darüber zu informieren, dass wir bei einem weiterhin bestehenden, gegebenenfalls auch intuitiven Zweifel den Weg größerer Sicherheit gehen, was eine Klinikeinweisung bedeuten kann oder – im Extremfall – die Anwendung von Zwang. Wenn wir es mit manipulativen Klienten zu tun haben, erkennen diese bei einer derart klaren Botschaft den Ernst der Lage und halten sich mit zwiespältigen Signalen zurück. Durch diese Umkehrung der Beweislast bleiben Helfende auch dann handlungsfähig, wenn bei ihnen ambivalente Gefühle und im Gefolge eine unsichere Gefahreneinschätzung ausgelöst werden.

Falls die Rechtslage nicht ausreicht, um eine Klinikeinweisung bei einer solchen Ausgangssituation durchzusetzen, kann die Intervention vorzeitig abgebrochen werden, da keine Übereinstimmung in der Zielsetzung besteht. Wenn das zur Unzufriedenheit des Klienten Anlass gibt, so ist dies die Bestätigung dafür, dass keine gemeinsame

Vertrauensgrundlage herstellbar ist, die für eine einvernehmliche Vorgehensweise eine Voraussetzung wäre. Das ist ungefähr so, wie wenn ein Hungriger in eine Bäckerei kommt und ein Stück Fleisch kaufen möchte und wütend wird, wenn der Bäcker darauf hinweist, dass er Fleisch nun mal nicht im Angebot habe und stattdessen Brot anbiete, was der Betreffende jedoch vorwurfsvoll ausschlägt.

STRESS Es ist professionell, sich bei »Stress« im Verlauf der Intervention sofort zu entlasten. Hierzu gibt es mehrere Möglichkeiten:

- Grenzen Sie sich von unlösbaren Aufgaben ab, orientieren Sie die Beteiligten über Ihre beschränkten Hilfemöglichkeiten.
- Wagen Sie, sich helfen zu lassen, insbesondere wenn Sie in Gefahr sind oder wenn Sie in einer Gefährdungslage ratlos werden. Schaffen Sie sich für jeden Einsatz ein Unterstützungsnetz für sich selbst, sodass Sie jederzeit eine erfahrene Drittperson um Rat fragen können.
- Eine weitere Möglichkeit besteht darin, sich vorübergehend zurückzuziehen, um mit sich selbst oder telefonisch mit einem Kollegen die Situation zu durchdenken.
- Wenn Sie zu stark emotional mitschwingen, versuchen Sie, sich darauf zu konzentrieren, die Gefühlsreaktion der anderen Person zu beschreiben und nicht aus Ihrer Mitfühlung in zu starke Resonanz zu geraten.
- Wenn Sie selbst in eine zu düstere Stimmung geraten, versuchen Sie, einen Perspektivenwechsel vorzunehmen. Dabei dürfen Sie ohne Weiteres Ihre Besorgnis gegenüber dem Klienten ausdrücken. Sehr häufig führt dies dazu, dass der Klient seine triste Sichtweise durch erfreulichere Aspekte ergänzt.
- Wenn Sie sich zu stark aktivieren lassen und zu viel Verantwortung zu übernehmen beginnen, so erkundigen Sie sich danach, wer im Umfeld des Klienten entsprechende Aufgaben übernehmen könnte.

In der Krisenintervention geht es letztlich um die Wiederherstellung psychischer Stabilität, wie sie vor der Krise bestand. Fordernde Aufgaben, belastende Konfrontationen und »therapeutische« Provokationen sind deshalb während der Krise zu unterlassen. Man denke daran, dass stets ein ganzes Bündel stützender Maßnahmen dazu beiträgt, dass wieder psychische Stabilität erreicht wird: psychische Stabilität beim Klienten und Entspannung beim Helfer.

Die wirksamste Entlastung ist die Schaffung einer lösbaren Aufgabe, das Einnehmen angemessener Distanz (psychische, räumliche, zeitliche), das Hinzuziehen zusätzlicher Hilfe und die Delegation von Teilaufgaben.

Multiprofessionelle Zusammenarbeit fördern!

Notfall- und Krisenintervention ist ein Musterbeispiel für die Notwendigkeit der multiprofessionellen Zusammenarbeit – der »Selbsthilfe im System«. Die große Herausforderung besteht darin, dass plötzlich mehrere Helferinnen und Helfer zusammenarbeiten müssen, die sich meist nicht kennen.

Probleme in der Kooperation entstehen dort, wo sich Helferinnen und Helfer misstrauisch begegnen, wenn sie ihre Rolle nicht transparent definieren, wenn sie Informationen nicht weitergeben, wenn sie nicht bei ihrer angestammten Aufgabe bleiben (sondern ins Arbeitsfeld einer anderen Berufsgruppe einwirken), wenn die Koordination der Hilfebemühungen nicht untereinander abgesprochen ist oder wenn unklar bleibt, wer vor Ort die Hauptverantwortung für die Intervention trägt. Deshalb ist besonders in Notfällen eine Kommunikation auf zwei Ebenen notwendig: Auf der Ebene des Helfersystems braucht es eine sofortige, improvisierte Vernetzung und auf der Ebene des Klientenkontakts braucht es ein sorgfältiges Management bezüglich Zuständigkeit der Helfer und Absprache mit dem Helfernetz.

KRISENDIENSTE Viele großstädtische Agglomerationen in Deutschland haben in den letzten Jahren spezialisierte Krisendienste aufgebaut. Psychiatrische Pflegefachkräfte, Sozialarbeiter und Psychologen leisten zum Teil in Zweierteams auch aufsuchende Hilfe und ziehen bei Bedarf einen Arzt des psychiatrischen Hintergrunddienstes hinzu. Diese Art der Zusammenarbeit ist optimal, denn die Akutintervention bedarf in erster Linie einer großen Kommunikationskompetenz mit Menschen, die in ihrer Fähigkeit zur Kooperation eingeschränkt sind. Dies leisten erfahrene psychiatrische Pflegefachkräfte bestens. In anderen Regionen Mitteleuropas wird durch unterschiedlichste Berufsgruppen psychische und psychiatrische Erste Hilfe geleistet: durch die Feuerwehr, Hausärzte, niedergelassene Psychiater sowie durch die Polizei. Diese Angebote entsprechen qualitativ einer medizinisch-psychologischen Unterversorgung der Bevölkerung. In ländlichen Regionen führt die psychiatrische Hilfe noch ein Schattendasein.

ÄRZTINNEN UND ÄRZTE In der Krise, speziell beim Notfall, sind die Ärzte zuständig für die fachliche Beurteilung psychischer Störungen, für die Abschätzung von Selbst- und Fremdgefährdung und für die Einleitung medizinischer Maßnahmen, möglicherweise auch gegen den Willen der aus Krankheitsgründen nicht einsichtigen Erkrankten. Das ist eine große Entscheidungslast.

Viele Nicht-Ärzte beklagen sich über die schwierige Zusammenarbeit mit Medizinern, denn Psychiater sind häufig schwer erreichbar oder das medizinische Praxispersonal stellt Anrufe schlicht nicht durch. Nicht-Ärzte beklagen sich über einen eher herablassenden Umgangston, geringe Informationen und hohe Empfindsamkeit ihrer Gesprächspartner.

Ärzte (und damit auch Psychiater) haben bis zu dem Zeitpunkt, an dem sie eine Praxis eröffnen können, in der Regel eine mehr als zehnjährige Ausbildungs- und Weiterbildungszeit mit einer Unzahl von Prüfungen hinter sich. Die somatisch tätigen Ärzte haben in ihrer Ausbildungszeit erlebt, dass sie ständigem Zeitdruck unterworfen sind und durch Anrufe jederzeit bei einer Tätigkeit unterbrochen werden können. Von Gesetzes wegen tragen sie eine umfassende Verantwortung für die Klienten und unterstehen einem strengeren Berufsgeheimnis als Sozialarbeiter und Sozialpädagoginnen. Sie müssen grundsätzlich im Rahmen des Zumutbaren für ihre Klientinnen und Klienten jederzeit erreichbar sein. Diese Berufswirklichkeit unterwirft die Ärzte einer rigorosen Leistungskultur, zugleich kann dies auch Quelle für eine gewisse Ungeduld in der Zusammenarbeit darstellen.

Wegen der schlechten Infrastrukturbedingungen vieler Psychiaterinnen und Psychiater ist es den meisten nicht möglich, Menschen in offener Sprechstunde zu betreuen, Menschen zu begleiten, die sich definitiv nicht an vereinbarte Sprechstundenzeiten halten können, oder Personen zu behandeln, bei denen bei Bedarf weitere Professionelle kurzfristig zugezogen werden müssen (etwa akut psychotisch Erkrankte oder schwer süchtige Personen). Die niedergelassenen Psychiater sind telefonisch zuweilen schwer erreichbar, da sie vielfach nicht über eine Praxishilfe verfügen, die jederzeit Anrufe entgegennehmen oder auch beantworten könnte.

Deshalb bewähren sich für Nicht-Mediziner folgende Vorgehensweisen im Kontakt mit Ärztinnen und Ärzten:

Kontakt: Stellen Sie sich am Telefon kurz vor, nennen Sie ein Stichwort, weshalb Sie Kontakt aufnehmen, und fragen Sie nach einem Zeitraum, wann Sie anrufen können, um die Angelegenheit zu besprechen. Nennen Sie den Zeitbedarf für das Gespräch.

Information: Orientieren Sie den Arzt in kurzen Worten über

Ihre Beobachtungen (keine Diagnose und keine Medikamentenvorschläge!) sowie Ihre Fragen. Orientieren Sie den Arzt über Ihr Betreuungsziel und das Setting.

Zielvorstellungen: Vereinbaren Sie gemeinsame Gespräche unter Einbezug des Klienten. Legen Sie für das Gespräch eine Zielsetzung fest und vereinbaren Sie einen knappen zeitlichen Rahmen (Größenordnung eine halbe Stunde bis maximal eine Stunde). Bieten Sie dem Arzt an, dass Sie in die Praxis kommen, oder laden Sie ihn alternativ ein in Ihre Betreuungsstelle.

Viele Klienten aus einem schwierigen Umfeld oder mit einer Persönlichkeitsproblematik beklagen sich über betreuende Drittpersonen. Nehmen Sie Beschwerden zur Kenntnis und glauben Sie sie dennoch nicht unbesehen. Gehen Sie davon aus, dass sich andere Berufsgruppen grundsätzlich ebenso Mühe geben, wie Sie es auch tun.

Falls ein Arzt etwas ungehalten ist, so führen Sie das darauf zurück, dass dieser nicht gewohnt ist, mit Menschen aus dem sozialen Arbeitsbereich zusammenzuarbeiten. Behalten Sie Ihr Selbstbewusstsein, denn Sie haben gelernt, zu kommunizieren und an sich selbst zu arbeiten. Brechen Sie deshalb nicht ein, werden Sie jedoch auch nicht harsch.

Falls Sie E-Mail-Kontakte aufnehmen: Beachten Sie, dass E-Mails von Drittpersonen eingesehen werden können, weshalb Sie Personendaten verschlüsseln sollen (nur Initialen, keine sensiblen Informationen).

Legen Sie sich mit der Zeit eine Positivliste von Ärzten und Ärztinnen an sowie von Dienstleistern anderer Berufsgruppen, mit denen Sie gut zusammenarbeiten können und von denen Sie wissen, dass sie (möglicherweise bezogen auf spezifische Klientengruppen) besonders kompetent sind und ein Geschick im Umgang mit diesen Klienten haben.

Falls es zu unerfreulichen Vorfällen kommt, bewährt sich eine Kontaktaufnahme mit der zuständigen Klinikleitung beziehungsweise mit den Vertretern der ärztlichen Berufsverbände.

POLIZEI In der Notfallsituation, also bei akuter Gefährdung, ist die Polizei (eventuell in Zusammenarbeit mit der Feuerwehr) zuständig für die Gewährleistung der Sicherheit vor Ort. Alle physischen Sicherungsmaßnahmen sind durch die Polizei zu treffen. Dies ist ein wichtiges Prinzip der Gewaltenteilung.

Die Qualität der polizeilichen Interventionen ist regional verschieden. In größeren Städten sind Polizistinnen und Polizisten im Allgemeinen auch in kommunikativen Belangen ausgebildet und gewisse Städte verfügen über Sondereinsatzkräfte bei psychologisch heiklen Missionen. Wie in anderen Berufsgruppen gibt es auch bei der Polizei unterschiedlich kompetente Personen; meistens sind die Qualität der Vorgehensweise und die der Angemessenheit der eingesetzten Mittel in den letzten Jahren sehr gestiegen. Grundsätzlich darf man davon ausgehen, dass die Polizei nicht mehr wie früher glaubt abwarten zu müssen, bis eine Gewalttat geschehen ist. Die meisten Großstädte verfügen über ein Gewaltpräventionskonzept für den Einsatz bei familiärer Gewalt. Potenzielle Täter können demnach polizeilich bereits mit einem Hausverbot belegt werden, wenn sie mit Gewalt drohen. > Kooperation mit der Polizei, Seiten 57, 90, 108, 111, 152

Falls es zu unerfreulichen Vorfällen kommt, bewährt sich ein persönlicher Kontakt mit der zuständigen Polizeiwache auf Vorgesetztenebene.

Bemühen Sie sich um gute multiprofessionelle Zusammenarbeit. Dies ist die Basis für eine nachhaltige Wirkung der Intervention und Voraussetzung für die Arbeitszufriedenheit eines jeden Krisenhelfers.

Neubeginn und Perspektiveneröffnung – Verabschiedung nach der Notfall- und Krisenintervention

Das Fallgeschehen vom Anfang dieses Buches sei nochmals aufgegriffen: Die besorgte Mutter kann in Anwesenheit des Notfallarztes ihrem kaum mehr zugänglichen Sohn Thomas mitteilen, dass sie, Mutter und Vater, am Ende ihrer Kräfte sind, sich größte Sorgen um den Gesundheitszustand ihres Sohnes machen und es nicht mehr verantworten können, ihn in diesem Zustand zuhause zu beherbergen. Ein vom Krisendienstmitarbeiter Michael herbeigerufener Arzt leitet eine Klinikeinweisung ein. Die Polizisten, die den Transport übernehmen werden, fragen Thomas, ob die Mutter ihn im Fahrzeug begleiten oder ob sie ihn später in der Klinik besuchen solle. Er entscheidet sich fürs Zweite. Er nimmt es hin, dass die Mutter seine Toilettenutensilien bereitmacht, ihm Geld und sein Smartphone mit Kopfhörern mitgibt. Wortlos dreht er sich um und folgt den Polizisten, die sich von der Mutter verabschieden. Still weint die Mutter vor sich hin. Was wird ihrem Sohn jetzt geschehen? Hat sie ihn nicht vielleicht doch »verraten«?

Nachdem die Wohnungstür wieder geschlossen ist, bitten die beiden Krisendienstmitarbeiter die Mutter und den Arzt, noch ein paar Worte miteinander wechseln zu können. Maria und Michael sprechen sie auf ihre Tränen an. Stockend erwähnt sie ihre Schuldgefühle: »Thomi wird mir das kaum verzeihen! Doch bin ich einfach nicht mehr in der Lage, diesem Elend weiter zuzuschauen.« Der Arzt äußert sein Bedauern zu dem, was alle Betroffenen und insbesondere auch ihr

Sohn durchleiden mussten, und gibt der Frau zu verstehen, dass er es ist, der die Verantwortung für den Unterbringungsentscheid trägt, und erläutert diesen. Er äußert sein Mitgefühl und orientiert kurz über das, was jetzt in der psychiatrischen Klinik geschehen wird, wer dort die ärztliche Verantwortung für den Sohn trägt, beantwortet sachlich und geduldig alle Fragen und informiert Mutter und Vater über ihre Kontaktmöglichkeiten zu ihrem Sohn.

Nach einer Gesprächspause fasst sich die Mutter wieder, worauf Michael, Maria und der Arzt fragen, ob sie sich verabschieden können. Sie alle hinterlassen ihre Kontaktdaten. Michael weist darauf hin, dass er sich nach zwei Stunden in der Klinik kurz melden wird, um Thomas Grüße von ihnen allen und vor allem von der Mutter ausrichten zu lassen, und verabschiedet sich. Die Mutter bedankt sich und merkt nun selbst an, wie überfällig es war, fachkundige Hilfe anzufordern. Alle bedanken sich bei der Mutter für die konstruktive Zusammenarbeit, die eine Klinikeinweisung ohne Drama ermöglicht hat, sodass jetzt eine dringend notwendig gewordene Behandlung eingeleitet werden kann.

Sich zu verabschieden bedeutet, einen verbindlichen Kontakt auf einvernehmliche Art zu beenden. Dazu gehört am Schluss der Notfall- oder Krisenintervention eine kurze Standortbestimmung, um sich gemeinsam zu vergegenwärtigen, was der Kontakt gebracht hat, wie dieser erlebt wurde und auf welche Art beide Seiten einander in Erinnerung bleiben. Dadurch geben wir dieser kurzen Beziehung einen Sinn, eine Art gedankliche Kapsel, die Zuversicht, Handlungsrichtung und Zielsetzung für die nächsten Stunden (bei der Notfallintervention) beziehungsweise die nächsten Tage (bei der Krisenintervention) aufbewahrt, damit die Intervention über den Augenblick hinausführt, »trägt« und die Pause überbrückt, bis andere Helfer den Staffelstab der Hilfestellung übernehmen können. Die Verabschiedung ist ein kleiner feierlicher Moment, in dem dies alles gewahr wird und wir als professionelle Helferinnen und Helfer damit das Ende des Kontakts markieren: ein Moment der Würdigung, der Dankbarkeit, der Hoffnung und der guten Wünsche. Damit kommen nicht nur die Klienten und ihre Angehörigen wieder zur Ruhe, sondern auch wir Notfallhelfer. Alle haben ihr Bestes gegeben, je nach ihren Kräften und ihrer Kompetenz. Ein Schrecken fand ein Ende und die Chance eines Neubeginns oder einer neuen Perspektive mit neuen Ressourcen erscheint am Horizont. Wenn der Krisendienstmitarbeiter Michael von seinem Einsatz nach Hause kommt, erlebt ihn seine Familie zu ihrem Erstaunen angeregt und manchmal sogar fröhlich.

Literatur

ANGENENDT, J.; NYBERG, E.; STIEGLITZ, R.-D. (2004): Kognitiv-behaviorale Ansätze in der Krisenintervention. In: RIECHER-RÖSSLER, A.; BERGER, P.; YILMAZ, A.T.; STIEGLITZ, R.-D. (Hg.): Psychiatrisch-psychotherapeutische Krisenintervention. Göttingen, S. 175–188.

ANTONOVSKY, A. (1997): Salutogenese: Zur Entmystifizierung der Gesundheit. Tübingen.

DORRMANN, W. (2006): Suizid. Therapeutische Interventionen bei Selbsttötungsabsichten. München.

KETELSEN, R.; SCHULZ, M.; ZECHERT, C. (2004): Seelische Krise und Aggressivität. Der Umgang mit Eskalation und Zwang. Bonn.

KÜCHENHOFF, J. (2005): Psychodynamische Kurz- und Fokaltherapie. Theorie und Praxis. Stuttgart.

LASOGGA, F.; GASCH, B. (2007): Notfallpsychologie. Lehrbuch für die Praxis. Heidelberg u. a.

LAUBER, C.; RÖSSLER, W. (2004): Systemische Aspekte in der Krisenintervention. In: RIECHER-RÖSSLER, A.; BERGER, P.; YILMAZ, A.T.; STIEGLITZ, R.-D. (Hg.): Psychiatrisch-psychotherapeutische Krisenintervention. Göttingen, S. 189–197.

LINDEMANN, E. (1944): Symptomatology and management of acute grief. In: *American Journal of Psychiatry*, 101, S. 141–148.

ORTITZ-MÜLLER, W.; SCHEUERMANN, U.; GAHLEITNER, S. (2010): Praxis Krisenintervention. Handbuch für helfende Berufe. Stuttgart.

RIECHER-RÖSSLER, A.; BERGER, P.; YILMAZ, A.T.; STIEGLITZ, R.-D. (Hg.) (2004): Psychiatrisch-psychotherapeutische Krisenintervention. Göttingen.

Ringel, E. (2005): Der Selbstmord: Abschluss einer krankhaften psychischen Entwicklung. Eschborn.

Rosenberg, M. (2007): Gewaltfreie Kommunikation. Aufrichtig und einfühlsam miteinander sprechen. Neue Wege in der Mediation und im Umgang mit Konflikten. Paderborn.

Rupp, M. (1996): Notfall Seele. Methodik und Praxis der ambulanten pychiatrisch-psychotherapeutischen Notfall- und Krisenintervention. Stuttgart / Mainz.

Rupp, M. (2009): Der Umgang mit aggressiven Patienten. In: Küchenhoff, J.; Mahrer Klemperer, R. (Hg.): Psychotherapie im psychiatrischen Alltag. Stuttgart, S. 180 – 201.

Rupp, M. (2017): Notfall Seele. Ambulante Notfall- und Krisenintervention in der Psychiatrie und Psychotherapie. Stuttgart.

Schauenburg, H. (2004): Psychodynamische Aspekte in der Krisenintervention. In: Riecher-Rössler, A.; Berger, P.; Yilmaz, A.T.; Stieglitz, R.-D. (Hg.): Psychiatrisch-psychotherapeutische Krisenintervention. Göttingen, S. 153 – 164.

Schmidtke, A.; Schaller, S. (2009): Suizidalität. In: Margraf, J.; Schneider, S. (Hg.): Lehrbuch der Verhaltenstherapie. Band 2. Heidelberg u. a., S. 176 – 186.

Sonneck, G. (2000): Krisenintervention und Suizidverhütung. Ein Leitfaden für den Umgang mit Menschen in Krisen. Wien.

von Schlippe, A.; Schweitzer J. (2016): Lehrbuch der systemischen Therapie und Beratung I. Das Grundlagenwissen. Göttingen.

»Es hat etwas Erfrischendes, das Buch in die Hand zu nehmen. Denn Michael Konrad und Matthias Rosemann, die Verantwortung in gemeindepsychiatrischen Einrichtungen in Ravensburg und Berlin tragen, rütteln nicht nur den Leser, sondern vor allem den psychiatrischen Praktiker wach.«
Christoph Müller, www.dfpp.de

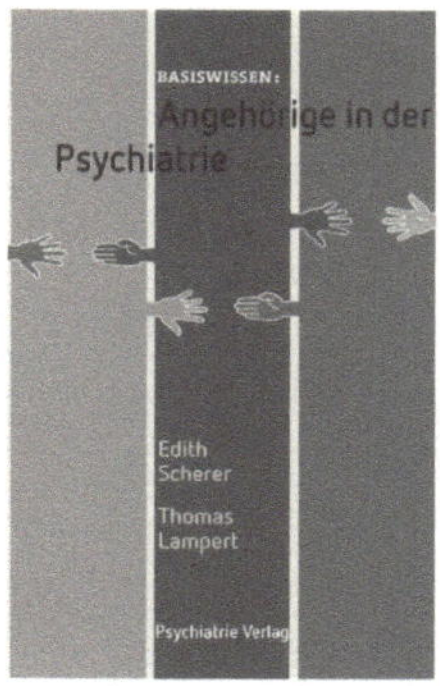

»Endlich einmal ist zusammenfassend zu lesen, welchen Belastungen Angehörige ausgesetzt sind, welche Bewältigungsstrategien ihnen zur Verfügung stehen und welche Möglichkeiten der Zusammenarbeit es mit Angehörigen gibt.«
Alexandra Chuonyo, unbeirrbar

Weitere Bände

Thomas Bock: **Umgang mit psychotischen Patienten** | Burkhart Brückner: **Geschichte der Psychiatrie** | Michael Büge: **Cannabiskonsum und psychische Störungen** | Astrid Delcamp: **Kontakt- und Begegnungsstätten für psychisch erkrankte Menschen** | Christiane Haerlin, Irmgard Plößl: **Berufliche Beratung psychisch Kranker** | Martin Hautzinger, Larissa Wolkenstein: **Umgang mit bipolaren Patienten** | Andreas Knuf: **Empowerment und Recovery** | Georg Kremer, Michael Schulz: **Motivierende Gesprächsführung in der Psychiatrie** | Malika Laabdallaoui, Ibrahim Rüschoff: **Umgang mit muslimischen Patienten** | Albert Lenz: **Psychisch kranke Eltern und ihre Kinder** | Sascha Lutz: **Glücksspielsucht** | Angela Mahnkopf: **Umgang mit depressiven Patienten** | Ewald Rahn: **Umgang mit Borderline-Patienten** | Martin Reker: **Umgang mit alkoholabhängigen Patienten** | Andreas Riedel, Jens Jürgen Clausen: **Autismus-Spektrum-Störungen bei Erwachsenen** | Hilde Schädle-Deininger: **Psychiatrische Pflege** | Günther Schwarz: **Umgang mit demenzkranken Menschen** | Monika Stich: **Patientengruppen erfolgreich leiten** | Andrea Trost, Stefan Rogge: **Umgang mit Menschen im Maßregelvollzug**

Klaus Obert, Karin Pogadl-Bakan, Gabriele Rein

Aufsuchende psychiatrische Arbeit

PraxisWissen, 160 Seiten
20,00 Euro, ISBN Print 978-3-88414-691-0
15,99 Euro, ISBN PDF 978-3-88414-944-7,
ISBN ePub 978-3-88414-946-1

Hilfe bringen

Die ambulante psychiatrische Arbeit gewinnt zunehmend an Bedeutung. Hausbesuche bieten viele Möglichkeiten, sie sind aber immer auch ein Eingriff in die Privatsphäre von Klientinnen und Klienten. Entsprechend sensibel sollte das professionelle Vorgehen sein.
Kompakt und strukturiert beschreibt dieses Buch Rollen, Aufgaben und Herausforderungen der aufsuchenden Helfenden. Es schildert die Chancen und Schwierigkeiten des Hausbesuchs und gibt hilfreiche Tipps für die Begegnung und die Beziehungsgestaltung. Auf die Arbeit mit dem Umfeld der Klientinnen und Klienten wird dabei ebenso eingegangen wie auf Hilfen zur Selbstreflexion.
Helfen da, wo es sich unmittelbar auf die Lebensqualität auswirkt!

Psychiatrie Verlag

Telefon 0221 167 989 -0
E-Mail: verlag@psychiatrie.de
www.psychiatrie-verlag.de

Zeitfracht Medien GmbH
Ferdinand-Jühlke-Straße 7,
99095 - DE, Erfurt
produktsicherheit@zeitfracht.de

FSC
www.fsc.org
MIX
Papier | Fördert
gute Waldnutzung
FSC® C083411